た成果を盛り込んでいる．

　本書の読者には，ただ説明を読んだり，用語になじんだりというだけでなく，自分の現実問題を整理して，標準的理論を応用してもらいたい．ただの読み放しでは本当にはわからないし，勉強する意味がないであろう．自分で整理し，自分で分析する一助に，各章末に復習のための練習問題をつけてある．自分の理解を確かめるためにもぜひ答を考えてみてもらいたい．教室でならこれを題材に討論してもらうとよいと思う．そして，さらに進んだ勉強を志す人たちのために巻末にリーディング・リストをつけてある．同じく巻末の索引も現代国際経済小辞典の役割を果たすはずである．

　本書の使い方について一言申し上げたい．週1回90分の通年講義ないしは週2回の半年講義の教科書とされる場合には，全部で8章あるものを各章3回ずつで進んでいただければよいと思う．分量的にも余裕があるので，関連事項を追加し，練習問題も討議できよう．週1回の半年講義では，見出しに星印（*）がつけてある項は省いて，毎週1章ずつ，ただし第3，4，6，7章は2週ずつ進んで，説明の大筋を理解させるようにしていただければよいかと思う．社会人の方が独習されるときは，この後のほうの読み方でひとまず通読されることをおすすめしたい．

　本書をテキストとしてご利用いただいた方々から折に触れてご教示と励ましをいただいた．著者自身本書を使って講義してきた経験から，基礎理論と現実の政策論を合わせて説明するという本書の狙いは，7章構成200ページという分量とともに，的外れでなかったと感じている．第3版でもこれは変えていない．本書の初版刊行から第2，第3版をとおしてご担当いただいた東洋経済新報社出版局の山下乾吉氏は，辛抱強い励ましと適切なご教示を惜しまれなかった．これらの方々に謝意を表するとともに，今後も本書に対するご叱正をお願いしたい．

　1998年1月

著　　者

目　　次

図表目次

図 目 次

表 目 次

国際経済学

（第3版）

第 1 章

国民経済と国際分業

国際分業という言葉は一般の読者にはなじみが薄いかもしれない．国際貿易といえばもっとわかりやすいであろう．貿易は一般に国と国とのあいだの商品取引，いわゆる商品輸出入を指す．しかし，今日国と国とのあいだの経済取引は商品貿易だけではなく，多様になっている．運輸・旅客サービスに加えて，資本，労働，技術といった生産要素も国際間で移動しており，金融・保険サービス，技術・情報サービスの取引も活発に行われている．商品だけでなく，サービス，生産要素の移動も含めた多様な国際取引を国際分業とよぶのである．

1-1　国際経済学とはなにか

《生活のなかの国際分業》

国の概念が成立する以前から，遠隔地間の交易はあった．中国や地中海の文明圏を中心に，各地域の特産品を交換しあう交易は始まっていた．古代から中世へと文明圏が拡大し，交通手段が発達していくのにともなって，貿易の範囲は広まったが，取引されたのは主として金銀，絹，毛皮，装身具，香料などの高価な嗜好品であった．各国の経済は基本的には自給自足的であって，貿易と国内経済とのつながりは密接ではなかった．もっとも交通も不便で，貿易にともなう危険も大きかったので，貿易業者の仕入値と売値との差，すなわち利益は大きかった．貿易で富をなした話が多く伝えられているのはそのためである．

近代になって，新大陸の発見に続いて植民地貿易が活発化し，他方西ヨーロッパ諸国が産業革命を経て，余剰生産力を蓄えてくると，貿易商品が変わってきた．織物，金属製品，化学品や穀物，各種原料など単価が低く，大量に消費されるものが中心になった．こうして貿易は国内経済と密接なかかわりをもつようになってきたのである．

今日われわれの日常生活は貿易とのかかわりがたいへん深くなっている．われわれが毎日消費する食料品は，米や生鮮を除いて輸入品が多い．昼に食べる天ぷらそばをとってみても，そば粉やえび，天ぷらの衣の小麦粉，しょう油の原料の大豆までほとんどが輸入され，国産品は水だけだとまでいわれる．スーパーマーケットに並んでいる衣料品にも，韓国，台湾，タイ製品が目立つ．他方，直接，間接に輸出とかかわりのある職業の人も多く，世界景気や円相場の動きが彼らの毎月の収入に影響してくる．また，総理大臣が外国の大統領や首相と会うときには，2国間の貿易状況が話題になる．貿易は国と国とを結びつける太い動脈になっている．

《国際経済学の課題》

国と国とのあいだの国際取引も基本的には国内取引と同じで，交換・分業の利益を求めて行われる．しかし，国境を越えると取引が行われる条件，環境が異なる．A国内では一つの通貨が流通し，一つの経済政策が行われているが，B国内では別の通貨が流通し，別の経済政策が行われる．A，B通貨の交換比率（為替相場）は一定ではなく，時に変動するし，A国では拡張政策がとられているのに，B国では引締め政策が行われることもある．また，国産品にはかからない税（関税）が外国からの輸入品にはかかることが多い．もっともこれにも程度の差があって，アメリカとカナダのあいだや西ヨーロッパ諸国間では通貨交換が自由で，かなり安定した為替相場で交換されてきたことが多かったし，相互に関税が軽減ないしは免除されて，一つの国に近い取引環境がつくり出されている．現在進行中のヨーロッパ単一市場はまさにその方向を目指している．しかし日本の場合外国との区別がはっきりしていて，国際取引と国内取引の差は比較的大きい．

　国際経済学ではこのように取引環境の異なる2国間にまたがって行われる国際取引がおもな対象になる．まず2国間の国際取引の大きさとパターンがどのように決められるかを説明しなければならない．日本はアメリカに対して自動車や家電製品を輸出し，小麦や牛肉を輸入しているが，韓国に対しては産業機械や中間部品を輸出して水産物や繊維製品を輸入している．このような貿易パターンはけっして一定不変ではなく，中長期的には変わっていく．日本も30年前にはアメリカに自動車を輸出していなかったし，韓国はいまや日本に鉄鋼や家電製品を輸出するまでになってきているのである．さらに商品貿易だけでなく，サービスや技術の貿易，直接投資などの流れも説明しなければならない．これが国際分業論といわれる研究領域である．

　次に，このようにいろいろな国とのあいだに成立する国際分業のあり方に日本政府はどのように関与したらよいのか，という問題がある．できるだけ政府の介入をなくして，市場メカニズムの働きに任せるべきである，というのが自由貿易論の考え方である．他方多くの新興工業国は工業化政策の一環として，工業品輸入を制限し，工業品輸出を促進する政策をとっている．また先進工業国の側では，国内の衰退産業を外国からの輸入品との競争から守るという名目で，きびしい輸入制限を実施している国が少なくない．このような政府の貿易への介入を保護貿易といい，それを正当化しようとする議論が保護貿易論である．自由貿易論と保護貿易論は貿易政策論の二つの大きな対立する主張で，これまで各国の貿易政策はこの二つの政策論のあいだを揺れ動いてきた．

　第3に，一国の商品・サービスの輸出入はつねに収支均衡するとは限らず，輸出超過や輸入超過になるという問題がある．輸入超過になるとその国のドルなどの国際支払手段の保有量が減り，その状態を維持できなくなる．その結果，その国の通貨の為替相場を下げたり，金融・財政の引締め政策をとらざるをえなくなる．輸出超過の場合にも，程度は違うが，逆の調整が必要になる．これが国際収支の調整過程であり，それはまた世界の国際金融組織がどのようであるかによって異なってくる．これは国際金融論とよばれる研究領域である．

　本書では最初の二つ，国際分業論と貿易政策論を扱う（国際金融論は本シリーズの別の巻で扱われる）．ただ，国際収支とその国民経済のなかでの位置づ

6

けについては次の2節で基礎的な説明をしておこう．国際分業論や貿易政策論の前提として不可欠だからである．

1-2　国際収支表

　国際収支表は一定期間（最低限1カ月）における，一国のあらゆる対外経済取引を，体系的に記録したものである．したがって，日本の国際収支を見れば日本の国際分業の全容が把握できる．基本的な国際収支統計としては，日本銀行外国局が毎月発表している『国際収支統計月報』があるが，大蔵省の『財政金融統計月報』の毎年6月号も「国際収支特集」になっていて，前年度分の数字および概要が説明されている．そのほか大蔵省や日本銀行による速報も新聞に掲載される．このように日本の国際収支や国際分業についての情報は容易に手に入るが，それを正しく読みこなすには，国際収支表の仕組みや種々の国際収支概念を理解しておかなければならない．

《国際収支表の仕組み》

　ここで対外経済取引とは，日本国の居住者と非居住者のあいだの取引であり，取引者の国籍は問わない．したがって，日本の本社（居住者）とアメリカにある支店（非居住者）とのあいだの企業内取引も対外取引になる．もっとも外国航空会社の日本支店は非居住者扱いされるから，日本国内の居住者が外国航空の切符を購入すれば対外取引（サービスの輸入）になる．そのほか種々の細かい規定があるが，以下の分析では必要ないので，立ち入らないことにする．

　あらゆる対外経済取引を分類し，体系だてて記録する仕方に，IMF（国際通貨基金）方式とよばれるものがあり，各国で共通して使われている．以下それにしたがって説明しよう．表1-1はIMF方式の仕組みをすべての取引項目をとおして読めるように組み替えて例示したものである．なおわが国では1996年1月から国際収支表の発表形式を大幅に改めたので，表1-1はこの新方式に合わせてある．

　まずすべての対外取引を経常取引と資本取引に大別する．経常取引は商品や

表 1-1　国際収支表の仕組み

		受取		支払		収支尻
経常収支	商品輸出入	①商品輸出	100			貿易収支
	サービス輸出入			②運輸サービス輸入60		サービス収支
	所得受払	③直接投資収益	20			所得収支
	経常移転取引			④民間送金	15	移転収支
						経常収支
資本取引	投資取引 　直接投資 　証券投資 　その他投資 その他資本取引	⑥対日証券投資 ②′④′⑤′	30 125	⑤対外直接投資 ①′③′⑥′ ⑦無償資金協力	50 150 10	投資収支 その他資本収支
						資本収支
	外貨準備増減	⑦′	10			
	合　計		285		285	

サービス輸出入：輸送，旅行，その他サービス（通信・建設・保険・金融・情報・特許権使用料・その他営利業務・文化興行・公的その他）を含む．
所得受払：居住者・非居住者間の雇用者報酬および投資所得の受払．
その他投資：公的部門・銀行部門・その他による貸付・借入，貿易信用，現預金増減を含む．
その他資本取引：移転取引のうち資本形成に貢献するもの．

サービスの貿易のように一度に商品・サービスの提供と代金支払いが行われて，取引が完了するものである．これには商品輸出入，サービス輸出入，所得受払，移転取引からなる．サービス輸出入には輸送，旅行，その他サービス（通信・建設・保険・金融・情報・特許権使用料・その他営利業務・文化興行・公的その他）の多様なサービス貿易が含まれる．わが国の資本および労働が海外で稼得する生産要素所得の受取りと外国の資本および労働がわが国で稼得する所得の支払いは，新方式ではサービス輸出入とは切り離して，所得受払として別計上する．重要性が増しているサービスや要素所得の実態を詳しく記載することが，今回の国際収支発表形式の改訂の目的のひとつであった．また従来移転取引に含められていた公的開発協力の無償供与は，受益国の資本形成に貢献する資本移転として，資本取引のなかのその他資本取引に含められる．

　他方資本取引はいろいろな形態で各種満期の貸借が行われて，取引後も貸借関係が残り，のちに元本および利子の支払いが行われるものである．これには

直接投資や証券投資のほかに銀行・政府その他による貸付・借入，貿易信用，現預金増減等（その他投資として一括）が含まれる．旧発表形式では長期資本取引（満期がないか1年未満）と短期資本取引を区別していたが，新方式では内訳でのみその区別を残している．なお元本の返済は資本取引に入るが，利子支払いは上述の所得支払いになる．

すべての取引は同一金額表示の逆方向の二つの流れから成っている．商品・サービスの輸出は商品・サービスが居住者から非居住者へ流れるのに，それと同額の外貨が非居住者から居住者に支払われる．国際収支表では複式計上の原則にならって，この両方向の流れを受取と支払に分けて記載する．非居住者からの外貨の受取りをともなう取引は受取に，非居住者への外貨の支払いをともなう取引は支払に記載し，外貨そのものの受取りは支払に，支払いは受取に記載する．したがって商品・サービスの輸出も輸入も受取，支払の両方にそれぞれ同一金額で現れる．商品輸出の場合は，表1-1のように商品輸入の受取の①とその他投資の支払の①′（通常は外貨といっても居住者の銀行預金残高の増になる）のように記載される．

政府開発援助や民間の外国送金は，外貨の一方向への流れだけなので，移転取引とよばれる．こちらが与える場合には外貨の支払い④′や⑦′になるが，これの見合取引として④や⑦を計上して，複式計上の原則に合わせる．

資本取引はIMF方式では外国に対する資産（債権）の増加または減少と，負債（債務）の増加または減少としてまとめられているが，表1-1のように経常取引の受取・支払に合わせて記載するには，次のように考えるとわかりやすい．つまり資本取引を「借用証」の輸出入であるとみなして，資産減と負債増は借用証が居住者から非居住者に輸出される（外貨の受取り）のだから受取に，資産増と負債減は借用証が非居住者から居住者へ輸入される（外貨の支払い）のだから支払に，それぞれ記載する．通常第1の取引を資本輸入，第2の取引を資本輸出とよぶが，商品・サービスの輸出入とは逆の記載の仕方になるから混乱しやすい．資本取引を借用証の輸出入とみなせばおのずから商品・サービスの輸出入と同じ側に記載されて，混乱しないですむ．

資本取引の一例として対外直接投資をみてみよう．これは借用証の輸入⑤と

その対価の外貨支払い⑤′としてそれぞれ支払と受取に記載される．これが期首に行われれば期末には投資収益を受け取ることになるが，これは資本サービスの所得受取だから③のように所得受払の受取に，その外貨受取は③′としてその他投資の支払に現れる．対日証券投資の場合はその逆になる．

　外貨準備増減は通貨当局が調整できる貨幣用金・外貨資産（現預金・債券などの流動資産）の増減を計上する．これはその他投資に含まれる銀行部門の金融取引と類似しており，銀行部門と通貨当局とのあいだの金融取引によっても増減する．表1-1では政府の無償資金協力支払い見合い取引の⑦′を全額外貨準備減として計上したが，その一部がその他投資取引で相殺されることもあり，またその他投資に計上した①′〜⑥′の見合い取引の一部が外貨準備増減でまかなわれることもある．

《種々の収支概念》

　国際収支表ではこのように個々の取引が同一金額で受取・支払の双方に記載されるから，受取・支払のすべての取引の合計はつねに一致する．それでは国際収支の不均衡とはどういうことなのだろうか．実は，国際収支というときには表1-1のいちばん下の合計線の下に現われたすべての取引の合計の収支ではなく，国際収支の一部分の収支なのである．よく参照されるものには貿易収支，サービス収支，投資収支，経常収支がある．初めの三つはそれぞれの取引項目の収支状況を把握するために参照されるが，経常収支は経常取引の収支差である以上の意味をもつ．それは資本取引全体の収支差をも反映している．表1-1からわかるように，経常収支と外貨準備増減も含めた資本収支の合計はつねにゼロになるからである．

$$経常収支＋資本収支≡0$$

経常収支が黒字になれば資本収支は赤字，すなわち借用証の輸入超過，債権の純増になる．経常収支が赤字ならば資本収支は黒字，すなわち借用証の輸出超過，債務の純増になる．経常収支が均衡するとき資本収支も均衡する，すなわち債権・債務状態が変わらない．家計で債権も債務もない状態を考えるのと同じで，一国の経常収支も均衡したほうがよいとする考え方がある．さらに経常

収支の不均衡は後述するように，国内の国民所得均衡の不均衡とも関連している．最もひんぱんに用いられる国際収支値であるといってよい．

　国際収支の旧方式ではこのほかに基礎収支・総合収支といった数値を計上していたが，新方式では姿を消している．基礎収支は経常収支に長期資本収支を加えたもので，長期の債権債務関係は比較的安定しているとみなしたためである．しかし今日では資本取引が活発化して長期短期の区別が消滅しつつある．また総合収支は外貨準備増減と外国為替銀行の対外流動資産・負債の増減を合計して，日本全体の流動性ポジションを測ったものであった．しかしすでに20年以上日本の経常収支は大幅な黒字を累積してきて，流動性ポジションの悪化を問題にすることはなくなった．

《最近の国際収支動向》

　国際収支表の仕組みを理解したところで実際の国際収支表を読んでみよう．表1-2はIMF方式の原表を読みやすく組みかえた「国内発表形式」とよばれるものである．日本銀行の『国際収支統計月報』や新聞紙上などで発表されるものはみなこの形式をとっている．左欄は表1-1の主要項目をとっており，1992～96年の5カ年の暦年値（1～12月合計）が掲げられている．なお年度値（4月から翌年3月までの合計）が掲げられることも多いので，混同しないよう注意されたい．この期間中，貿易収支と経常収支は大幅な黒字だったが，この5年間に両収支とも縮小傾向にあり，経常収支は半減している．以下個々の項目について見てみよう．長期的傾向も見いだされ，日本の対外経済関係の特徴が現れている．

　まず商品輸出入は国際取引のなかで最大の比重をもつ．5年間輸出はつねに大幅に輸入を上回ったが，輸出が微増なのに輸入は急増したから貿易黒字幅も3分の1以上縮小した．他方サービス輸出入では大幅赤字が持続し，かつ拡大している．旅行やその他サービスの赤字が大きいが，ほとんどのサービス貿易分野で輸入超過になっている．所得収支は黒字が持続し，拡大している．対外投資の収益・利子受取が主である．経常移転収支は民間送金が主で，赤字が持続，拡大している．経常取引全体としては貿易収支と所得収支の黒字を反映し

表 1-2　日本の国際収支表

(単位　億円)

暦年	1992年	1993年	1994年	1995年	1996年
1.貿易収支	157,764	154,816	147,322	123,445	90,966
商品輸出（f. o. b.）	420,816	391,640	393,485	402,596	435,659
商品輸入（f. o. b.）	263,055	236,823	246,166	279,153	344,693
2.サービス収支	▲ 55,709	▲ 47,803	▲ 48,976	▲ 53,898	▲ 67,792
サービス輸出	62,083	59,159	59,582	61,573	73,657
サービス輸入	117,793	106,962	108,559	115,471	141,449
3.所得収支	45,125	45,329	41,307	41,573	58,180
要素所得受取	181,024	164,984	158,679	181,067	244,435
要素所得支払	135,897	119,655	117,374	139,496	186,256
4.経常移転収支	▲ 4,833	▲ 5,651	▲ 6,255	▲ 7,253	▲ 9,775
5.経常収支(＝1＋2＋3＋4)	142,349	146,690	133,425	103,862	71,579
6.投資収支	▲127,525	▲115,387	▲ 88,004	▲ 60,609	▲ 29,934
直接投資	▲ 18,426	▲ 15,234	▲ 17,611	▲ 21,249	▲ 25,236
証券投資	▲ 33,401	▲ 77,620	▲ 23,657	▲ 30,772	▲ 45,140
その他投資	▲ 75,697	▲ 22,533	▲ 46,738	▲ 8,585	40,442
7.その他資本収支	▲ 1,641	▲ 1,650	▲ 1,920	▲ 2,144	▲ 3,537
8.資本収支(＝6＋7)	▲129,165	▲117,035	▲ 89,924	▲ 62,754	▲ 33,472
9.外貨準備増減	▲ 753	▲ 29,973	▲ 25,854	▲ 54,235	▲ 39,424
10.誤差脱漏	▲ 12,432	318	▲ 17,648	13,127	1,317

(出所)　日本銀行『国際収支統計月報』1997年5月号.

て5年間通じて黒字である．ただ縮小傾向も顕著で，5年間で半減している．

　他方投資収支は大幅な赤字である．つまり借用証の輸入超過，対外資産増が負債増を上回って，純資産増を続けた．証券投資，直接投資，その他投資のいずれも赤字だが，傾向はそれぞれ異なる．直接投資は着実に増加している．証券投資は最大だが，年々の変動が大きい．その他投資の変動はさらに大きくなり，96年には黒字化している．内容的には銀行部門の短期借入れが大幅に増加した．外貨準備増減はマイナス，つまり外国の借用証の手持ちの増加，外貨増である．年々の変動は大きいが，5年間増加を続けたので，日本の外貨準備は約15兆円分増加したことになる．

1-3　国内活動と国際分業

　初めに国際分業が国内経済活動と深くかかわりをもってきたと述べた．それ

を確かめるには，国民所得勘定のなかで国際分業がどのように位置づけられるかを調べなければならない．

《国民所得と経常収支》

　外国と国際分業を行っている開放経済では，財・サービスの供給と需要のあいだには次の関係が成り立っている．

$$Y + M = C + G + I_d + X$$

左辺は供給で国民総生産 GNP （Y）と輸入（M）から成り，右辺は国民総支出の構成項目で，民間消費（C），政府消費（G），国内投資（I_d）と輸出（X）から成る．消費と投資の一部は輸入財である．辺々入れかえると

$$Y - C - G - I_d = X - M$$

生産したもののうち消費されないものを貯蓄 S（$= Y - C - G$）とすれば

$$S - I_d = X - M \tag{1-1}$$

右辺は財・サービスの輸出と輸入の差であり，国民所得統計では経常海外余剰とよぶ．これに移転収支 TR を加えたものが経常収支であり，それは海外投資 I_f（資本収支の符号を変えたもの）に等しい．

$$(X - M) + TR = 経常収支 = I_f$$

上の式と組み合わせれば

$$S - I_d = I_f + (- TR)$$

すなわち貯蓄で国内投資されなかった残りは海外投資されるか，移転純支払い（$- TR$，たとえば民間送金）になる．

　表 1-3 は上の開放経済の国民所得均衡の諸変量を国民所得統計の速報値から作成したものである．これは表 1-2 の国際収支表に対応させたものである．新方式では国際収支表も円表示になったので，そのまま対応させられるが，速報値であるため，数パーセントの乖離が生じている．ここでは推計の手続き上，国内総支出 GDE（＝総生産）をまず算出し，これに「海外からの要素所得受取−支払」を加えて，国民総生産（＝総支出）を算出する．この後者は国際収支表の「所得収支」であり，したがって国民所得統計の「経常海外余剰」は貿易収支・サービス収支・所得収支を合計したものになる．これに経常移転収支

表 1-3　国民所得統計における国際分業

(単位　億円, %)

暦年	1992年	1993年	1994年	1995年	1996年
1.民間消費支出：C 　　(C/GDE)	2,722,944 (57.8)	2,787,031 (58.6)	2,861,536 (59.7)	2,905,146 (60.2)	2,994,264 (59.8)
2.国内総資本形成：I_d 　　(I_d/GDE)	1,450,142 (30.8)	1,410,526 (29.7)	1,373,407 (28.7)	1,377,395 (28.5)	1,492,404 (29.8)
3.政府消費支出：G 　　(G/GDE)	432,623 (9.2)	447,714 (9.4)	457,427 (9.5)	475,549 (9.8)	489,689 (9.8)
4.財・サービス輸出：X 　　(X/GDE)	473,842 (10.1)	441,972 (9.3)	444,097 (9.3)	453,929 (9.4)	496,999 (9.9)
5.財・サービス輸入：M 　　(M/GDE)	368,907 (7.8)	333,432 (7.0)	343,866 (7.2)	382,719 (7.9)	470,218 (9.4)
6.国内総支出（＝総生産） 　GDE　　GDP 　（＝1＋2＋3＋4－5）	4,710,644	4,753,811	4,792,601	4,829,300	5,003,138
7.要素所得受取－支払 　（所得収支）	42,678	43,806	39,415	39,914	54,571
8.経常海外余剰 　（＝4－5＋7）	147,613	152,346	139,646	111,124	81,352
9.国民総生産（＝総支出） 　GNP(＝6＋7)　GNE 　GNP が GDP を上回る率 　（%）	4,753,322 (0.91)	4,797,617 (0.92)	4,832,016 (0.82)	4,869,214 (0.83)	5,057,709 (1.09)
10.経常移転収支 TR	▲4,833	▲5,651	▲6,255	▲7,253	▲9,775
11.経常収支（＝8＋10）I_f 　　（対 GNE 比）	142,349 (3.0)	146,690 (3.1)	133,425 (2.8)	103,862 (2.1)	71,579 (1.4)
12.総貯蓄：S（＝9－1－3） 　　（対 GNE 比）	1,597,755 (33.6)	1,562,872 (32.6)	1,513,053 (31.3)	1,488,519 (30.6)	1,573,756 (31.1)
13.海外投資比率（I_f/S）	8.9	9.4	8.8	7.0	4.5

(注)　国民所得統計の速報値からとったため，4，5，7 は国際収支表の数値と数パーセントの齟齬が生じて
　　おり，11 も本表の 8＋10 と完全には一致しない.
(出所)　日本経済研究センター『四半期経済予測』1997 年 6 月号. 10 と 11 は表 1-2 の国際収支表からとっ
　　た. 12 と 13 は著者計算.

を加えると国際収支表の「経常収支」になる．もっとも上述のデータに齟齬が
あって，二つの表の数値は完全には一致しない．しかし表 1-3 から，商品・サ
ービスの輸出入，要素所得受払，海外投資等の国際取引が国内活動にくらべて
どの程度の大きさをもつか知ることができる．
　国内総支出の構成比は比較的安定しているが，他先進国にくらべて民間消費
（58〜60％）や政府消費（9％）の割合が小さい．貯蓄率（30〜33％）や国内
投資率（28〜30％）海外投資率（7〜9％）は高目である．輸出入の対 GDE
比（9％と 7％）は 1980 年代前半の 17％と 13％よりかなり下がったが，これは

直接的には円高化でドル表示の輸出入額は下がらなくとも円建てに直すと大幅に減額した結果である.

1993～95年は極端な低成長期で, 名目GNPの成長率も0.7～0.9%であった. 政府の財政拡大による内需振興もあって, 民間消費も政府消費も増加して, 逆に貯蓄と内外投資は減少した. 1996年から回復が始まり, 貯蓄, 国内投資比率も上昇したが, 海外投資は対GNE比では減少気味である. 経常収支黒字は対GNE比で3%から1.4%に低下した. 国内活動は不活発だったが海外投資は持続して, GNPはGDPを上回った. その比率は0.8%から1.1%である.

《経常収支黒字と貿易摩擦》

1980年代以来日本の経常収支黒字累積がアメリカ, EC諸国, 東・東南アジア諸国の対日批判の的となってきた. 日本の主要貿易相手国・地域との貿易収支をとると表1-4のようになる. 1992年と1996年の値をとっているが, 中間の年次もほぼ同じパターンであった. 中近東のような原料輸出国に対しては恒常的に赤字だが, その他の国々には一般に黒字傾向である.

日本の全体の経常収支黒字は1981～87年のあいだ拡大を続けて, 870億ドル, 対GNP比3.6%に達した. その後同1.2%まで縮小したが, 1992～93年にはふたたび3%へ拡大したのち, 96年に1.4%に戻っている (表1-3). 一国の輸出超過は貿易相手国の輸入超過になる傾向があり, 相手国が外貨不足や失業に悩む場合には, 輸出超過は容易に貿易摩擦の種になる. 日本に対する輸出自主規制の要請と, 輸入拡大のための市場開放措置を要求しているのはそのためである.

しかし経常収支不均衡は, たんに輸出過多と輸入過少だけではなく, 国内経済不均衡を反映している. 輸入は直接の市場条件だけでなく, 消費・投資需要の大きさに依存し, 経常収支不均衡は(1-1)式に示されるように国内の貯蓄・投資不均衡を反映しているからである. 表1-3から読みとれるように, 1992～95年間の総貯蓄の対GNE比が33%台から30%台へ低下した一方, 国内投資は2%ポイントも低下したため, 経常収支黒字は縮小した. しかし1996年には貯蓄率, 国内投資率ともに上昇して, 経常収支黒字はさらに縮小した. 輸

表 1-4 主要貿易相手国・地域との貿易収支

(単位 億円)

	1992年	1996年
ア メ リ カ	54,989	35,461
E U	39,589	14,837
東南アジア	70,395	88,496
中 国	▲ 6,345	▲20,173
中 近 東	▲17,743	▲25,562

(出所) 日本銀行『国際収支統計月報』1997年5月号, 表12および13地域別
輸出・輸入, から算出.

出・輸入ギャップ解消のためには総貯蓄の縮小と国内投資の拡大が必要であり，いずれにせよ内需振興政策が必要である．

　もっとも，日本の経常収支黒字増大の大きな割合がアメリカとの貿易で生じている．図7-1に示すように，日米間の経常収支不均衡拡大のバックに，日本の対世界貿易収支黒字とアメリカの対世界貿易収支赤字の拡大がある．したがって日本側の内需振興だけではなく，アメリカのマクロ経済政策による大幅な経常収支赤字の縮小努力が要望されている（第7章7-1参照）．もっとも1990年代に入って，日本企業の中国や東南アジアへの工業生産の移転が活発化したが，これは東南アジア諸国との貿易不均衡を増幅させている．最終製品は現地から輸出，一部を日本へ逆輸入する形になっているものの，機械や中間原料，部品の輸出が拡大したからである．表1-4にも現れているように，東南アジア諸国との貿易黒字は1996年には対米貿易黒字を上回っている．

　他方，経常収支を無理に均衡化させる必要はなく，経常収支黒字は資本流出で埋め合わせればよいという考え方もある．日本は構造的に貯蓄・投資超過を生みだす債権国の段階に達しており，今後も長期的には経常収支黒字と資本収支赤字の組合せが続くであろう．たしかに日本は1960年代初めに対外債権・債務バランスが純負債から純資産になって以来，第1，2次の石油危機時（1974〜75年，1979〜80年）の経常収支悪化で減少したほかは純資産を累積してきた．とくに1980年代に達してからの資産積増が顕著であって，1996年末の日本の対外資産残高は307兆円で対外負債を差し引いた対外純資産は103兆円（約8500億ドル）であった．この純資産の対GNE比は20.3%に達する．すで

にアメリカは純負債国になっているので,日本は西ドイツと並んで世界最大の資本供給国である.

しかし1980年代後半から1990年初めの海外投資の増大は急速にすぎ,かつ円相場急騰という特殊要因による部分が大きかった.対外直接投資は着実に増加しても,全体としてGNPの3%台の海外投資が今後も安定的パターンとして持続するかどうかは疑問である.経常収支不均衡の是正はやはり必要であって,日本の内需振興や為替の円高化などのマクロ調整が中心となろう.

もっともマクロ調整のみで経常収支が均衡するかどうかについては疑問が残る.とかく見落とされがちだが日本の国際分業構造そのものにも問題がある.内需振興は所得効果を通じて,円高化は価格効果を通じて輸入を拡大するが,その程度は輸入の所得,価格需要弾力性などのパラメータによる.最近は輸入増加傾向にあるが,これらパラメータの値はあまり高くないようである.それは日本の輸入の26%がエネルギー・原料輸入であって(1996年),価格弾力性が低く,さらに近年省エネルギー化が進んで原単位の低下が目立つことにもよろう.他方,輸入の60%近くを占めるに至った工業品については日本側の所得弾力性が低いのに対して,日本の工業品輸出に対する主要相手国の需要弾力性は高くなっている.しかも1990年代には,日本は他の先進国より低い成長率であったから,工業品輸出の伸びに比して,工業品輸入の伸びが小さくなる.それは日本の工業が競争相手の少ない機械や中間原料・部品を供給する反面,国内生産については多くを国内調達してしまう構造になっているからである.これは日本の工業化過程で生成され,また近隣諸国との工業化段階の格差によって持続されている.

これも経常収支黒字の構造要因の一つであり,このようなパラメータであるかぎり通常のマクロ経済調整のみでは経常収支はなかなか均衡せず,資本流出で埋め合わせる以外に方法がない.しかし中長期的にはこの分業構造そのものを修正する必要がある.そのためにはこの分業構造がどのように生成されたかを知らねばならない.これは国際分業論が答えなければならない主要な課題であり,以下第2〜5章にわたって順を追って解明していこう.

【練習問題】

(1)　経常収支，基礎収支，総合収支がそれぞれ国際収支のどのような基調を
とらえるか整理せよ．

(2)　ある年度内に次の取引が行われるとき，次の小問に答えよ．

　　1)　経常収支はどうなるか．

　　2)　その結果，対外債権・債務バランスはどう変化するか．

　　3)　それは国内経済の状況とどういう関係にあるか．

　　　　①商品輸入：150，②利子受取：18，③対米証券投資：115，④貨物
　　　　運賃支払：25，⑤特許権使用料：5，⑥民間送金：12，⑦対日直接
　　　　投資：15，⑧商品輸出：256（単位：1000億円）．

(3)　本文中で紹介した諸資料を用いて，最近の日本の国際収支状況を分析せ
よ．さらに国民所得統計との対応をつけ，国際収支と国内経済活動の関連
を明らかにせよ．

(4)　1951年以降の国際収支統計を並べて，日本の国際収支構造の変化をたど
ってみよ．

(5)　国際分業との関連の強まりは国内経済運営にとって都合のよい面と不都
合な面がある．整理してみよう．

第 **2** 章

貿易の仕組みと貿易利益

　なぜ貿易をするのか．たとえば特産品貿易の理由はわかりやすい．自国で生産できないものを輸入し，他国が生産できないものを輸出した．しかし，今日貿易されている穀物や工業品の多くはどの国でも生産している．ただ国によって生産費が違うので，安く生産できる国が輸出し，自国生産が高くつく国が輸入する．しかしどの商品も生産費が高く，なにも輸出するものがないという国はないのだろうか．

　この問題を解決したのがイギリスのリカード（David Ricardo）の比較生産費原理であり，170年も前に発表されてからずっと，国際経済学の最も重要な原理となってきた．貿易の仕組みを解明するにはこの原理から始めなければならない．

2-1　比較生産費原理

　経済学では，現実の経済の複雑な仕組みを説明するために，現実を単純化したモデルを利用する．われわれも単純な貿易モデルをつくろう．まず，貿易を扱うにはどうしても2国と2財が必要である．輸出する国と輸入する国がなければならず，輸出財と輸入財がなければならないからである．覚えやすくするために，2国を日本とアメリカ，2財を食料と衣料としておこう．

表 2-1　単位生産当り労働投入量と比較生産費（仮設例）

2財＼2国	日　本 (J)	アメリカ (A)
食　料 (a_f)	5（人・年）	2（人・年）
衣　料 (a_c)	3（人・年）	2（人・年）
比較生産費 $\left(\dfrac{a_f}{a_c}\right)$	$\dfrac{5}{3}$	1

《労働生産性モデル》

　日本もアメリカも食料と衣料をともに生産している．もっとも，同じ食料でもアメリカでは小麦，日本では米，というようにつくっているものが違う．衣料についても同じことがいえるが，ここでは種類や質の差は無視して，同じ食料・衣料をつくっているとしよう．

　両国で食料と衣料の生産費はどうやって決まるのだろうか．それは食料と衣料の生産にどのような生産要素が投入されるかによる．まず労働が考えられる．表 2-1 は両国での食料，衣料の 1 単位生産当りの投入労働量（たとえば年間何人）の仮設値である．ここでは食料は何キログラムとか，衣料は何平方メートルというように生産単位を決めておく．この表では食料も衣料も単位当りの労働投入量はアメリカのほうが少ない．単位当り労働投入量の逆数をとると，それぞれの国の生産における労働生産性になる．労働生産性も両財ともアメリカのほうが高いわけだが，これは労働の能率の違いだけではなく，土地の肥沃度や気候，生産規模や機械化の程度の違いも反映している．つまり他の投入要素を無視するわけではないが，それらは労働投入量，ないしは労働生産性の違いに反映されると考えて，明示的には労働だけを取り扱う．そして労働投入費用が生産費を決める主要素だとしたのがリカードの貿易モデルの特徴であった．つまり 2 国・2 財・1 要素モデルである．

　のちに，もっと現実に近づけて，他の生産要素の投入も明示的に扱う必要が出てくるが，本章ではこの最も単純な貿易モデルでも貿易の仕組みや貿易利益を解明できることを示そう．

　表2-1で日本とアメリカのどちらが食料，衣料を安く生産できるか．単位労働投入量だけではアメリカが両財とも日本より少ない労働量で生産できる．しかしアメリカの賃金が日本より高いから，投入量だけでは生産費の比較はできない．また，生産費を比較するには日本が円表示，アメリカがドル表示では駄目で，円・ドル為替相場で換算して，円かドル共通の通貨で表わす必要がある．もしアメリカの賃金が円換算で日本の賃金より3倍高ければ，アメリカのほうが両財とも単位労働投入量が小さくとも，両財とも日本の生産費のほうが低くなる．日本の1人当り賃金を単位として，食料や衣料の生産費はアメリカが6と6なのに，日本は5と3だからである．

　しかし賃金や為替相場が決まらなければ，どちらの国が安く生産でき，輸出国になるかがわからないのだろうか．為替相場は貿易が行われた結果，輸出入が均衡するように決まるのではないだろうか．その貿易パターンを決めるのに為替相場がわからなければならず，その為替相場は貿易が行われた結果決まるというのでは循環論法になってしまう．ところが，リカードの比較生産費という概念を使えば，為替相場や賃金水準にわずらわされずに貿易パターンが決まる．

　表2-1で各国について，食料と衣料の労働投入量の比率をとろう．

$$\frac{\text{食料生産単位当り労働投入量}}{\text{衣料生産単位当り労働投入量}}$$

分母子とも単位は人・年だから，この比率は無名数になり，このまま日米間で比較できる．これを比較生産費という．日米間で比較生産費に格差があって，この場合は日本のほうが大きい．食料の衣料に対する比較生産費は日本のほうがアメリカより高い．ということは日本のほうが食料生産は割高である．この分数を逆にすれば衣料の食料に対する比較生産費が得られ，これはアメリカのほうが大きい．すなわちアメリカのほうが衣料生産は割高である．これを，「日本は衣料生産に比較優位をもち，アメリカは食料生産に比較優位をもつ」という．このことから日本が衣料を輸出して食料を輸入し，アメリカが食料を輸出して衣料を輸入する貿易パターンがよいということがわかる．

表 2-2　日米両国の生産費比較（仮設例）

為替相場　　　　　　　　日米の賃金		日　　本	アメリカ	生　産　費　比　較
		4,000円	40ドル	
1ドル＝100円	食　　料	20,000	8,000円	両財ともアメリカが安い
	衣　　料	12,000	8,000	
1ドル＝200円	食　　料	20,000	16,000	食料はアメリカが安く， 衣料は日本が安い
	衣　　料	12,000	16,000	
1ドル＝300円	食　　料	20,000	24,000	両財とも日本が安い
	衣　　料	12,000	24,000	

（注）　日本は賃金（円）×単位投入量，アメリカは賃金（ドル）×為替相場（円/ドル）×単位投入量で計算した．

《賃金・為替相場の影響》

　しかし，賃金や為替相場は貿易パターンの決定にどうかかわってくるのだろうか．現実の貿易は絶対生産費差で行われるからである．そこで賃金と為替相場を入れて生産費を計算して，比較してみよう．

　表2-2は，かりに日本の賃金を4000円，アメリカの賃金を40ドルとして，1ドル＝100円，200円，300円の為替レートのもとで換算して，両国の円表示の生産費を計算したものである．為替相場が1ドル＝100円の場合には食料，衣料ともアメリカのほうが安くなり，両財ともアメリカが輸出する貿易パターンになる．為替相場が1ドル＝300円の場合には食料，衣料とも日本が安く生産でき，両財とも日本が輸出する貿易パターンになる．そして為替相場が1ドル＝200円の場合のみ，食料はアメリカが，衣料は日本が安く生産でき，日本が衣料を，アメリカが食料を輸出する，相互輸出のパターンになる．第1の場合はアメリカの一方的輸出，第3の場合は日本の一方的輸出となるが，そのような不均衡の状態はとうてい永続しえない．相互輸出のパターンになるには為替相場は1ドル＝200円の近傍に決まらなければならない．

　もっとも1ドル＝200円の為替相場で日米間の貿易収支が均衡するとは限らない．もしこの為替相場で日本の輸出額のほうが多ければ，均衡為替相場はもっと円高に，1ドル＝200円以下になる．そして日本の輸出が減少し，アメリカの輸出が増加するように調整されよう．逆にこの為替相場でアメリカの輸出

額のほうが多ければ，均衡為替相場はもっと円安に，1ドル＝200円以上になって，日本の輸出がふえ，アメリカの輸出が減るように調整される．厳密には為替相場と貿易量はちょうど2国間で輸出入が均衡するように同時に決定される．しかし両国間の貿易パターンは，相互輸出になるように為替相場が決まるかぎり，日本が衣料を，アメリカが食料を輸出するように決まっており，この逆の貿易パターンになることはない．

　まったく同じ論理で，賃金水準の高低は2国間の貿易パターンには影響しない．たとえアメリカの賃金水準が2倍の80ドルになったとしても，表2-2の計算で円・ドル為替相場を1ドル＝50円，100円，150円に直してやれば生産費の比較はまったく変わらない．賃金率が高すぎても，為替相場の調整で矯正されてしまって，貿易パターンに影響することはないのである．

2-2　貿易利益

　貿易が行われ，これまで拡大してきたのは，貿易をする2国の双方に利益が生ずるからである．われわれの次の課題は，比較生産費原理に沿ったパターンの貿易をすると，2国双方に利益があることを示すことである．

《貿易利益と交易条件》

　前節の日本とアメリカの貿易モデルにもどろう．比較生産費原理によれば日本は衣料生産に比較優位をもち，アメリカは食料生産に比較優位をもつ．いま日本が比較優位をもたない（比較劣位の）食料生産を1単位縮小して，その分衣料生産をふやし，それをアメリカにもっていって食料と交換すると，1単位以上の食料を入手できる．日本で食料生産を1単位減らすと労働が5人あまるが，それを衣料生産に投入すると5/3単位増産できる．それをアメリカにもっていって，アメリカでの交換比率（比較生産費）の1で交換すると，5/3単位の食料が入手できる．生産減少の1単位分を差し引いて2/3単位の食料が余分に入手できたわけである．他方アメリカでは比較劣位の衣料生産を1単位減らし，その分食料生産を1単位ふやした分を日本にもっていくと，衣料5/3単位

と交換できる．ここでも1単位の生産減少分を差し引いて，衣料が2/3単位分ふえたわけである．

　これが貿易利益であって，いずれも比較劣位財の生産を比較優位財生産に代替して，相手国の交換比率で交換したために得られた．貿易利益があるためには，国内での比較劣位財と比較優位財との生産代替率は比較生産費に等しく，それが交換比率より大きくなければならない．少し複雑になるので記号を使って整理しよう．

　a_f，a_c を食料，衣料の単位生産当り労働投入量とし，A，J の添字がアメリカと日本を表わすとしよう．食料の衣料に対する交換比率を P_f/P_c とする．上の例では貿易開始前のアメリカでの交換比率と日本での交換比率とを区別したが，現実の貿易では共通の交換比率で行われる．まず日本が衣料を輸出しているなら

$$\left(\frac{a_{fJ}}{a_{cJ}}\right) > \frac{P_f}{P_c}$$

である．この左辺は国内生産代替率，すなわち食料1単位生産するために衣料を何単位犠牲にするかを表わし，右辺は貿易を通じて食料1単位を得るのに衣料を何単位渡すかを表わしており，国内生産代替のコストのほうが大きければ貿易が行われる．他方，アメリカが食料を輸出しているなら

$$\left(\frac{a_{fA}}{a_{cA}}\right) < \frac{P_f}{P_c}$$

である．この共通の交換比率を交易条件という．交易条件が日本の比較生産費とアメリカの比較生産費のあいだに決まるかぎり，すなわち

$$\left(\frac{a_{fJ}}{a_{cJ}}\right) > \frac{P_f}{P_c} > \left(\frac{a_{fA}}{a_{cA}}\right) \tag{2-1}$$

であれば，貿易は双方に利益になる．

　表2-1からわかるように，日本の比較生産費は5/3，アメリカの比較生産費は1だから，たとえば交易条件が4/3であればこの不等式を満たすのだが，実際にこれを上述の数値計算に当てはめてみよう．日本での食料の1単位減産で衣料を5/3単位増産し，それを交易条件4/3でアメリカに輸出すると，かわり

に食料5/4単位を得る．その差である食料1/4単位が日本の貿易利益である．
他方アメリカは衣料を5/3単位受けた分だけ衣料生産をやめて食料生産にまわ
すと，5/3単位増産になる．日本に輸出した分（5/4）との差，5/12単位の食
料がアメリカの貿易利益になる．これで双方とも貿易利益を受けたわけである．

　上の不等式で交易条件がその国の比較生産費から離れているほど貿易利益は
大きい．したがって大国と小国とで貿易をすると，交易条件は大国の比較生産
費に近く決まるから，小国の貿易利益のほうが大きくなる．交易条件が貿易利
益の配分を決めるわけである．

《効率的な分業パターン》*

　以上各国が比較優位財の生産を1単位ずつふやして貿易すると，たがいに利
益が生ずることを確かめた．しかし表2-1の貿易モデルでは，どの生産規模で
も生産費は変わらないから，比較優位財の生産をふやすほど利益もふえる．し
たがって比較劣位財の生産をどんどん減らし，比較優位財の生産に転換（これ
を特化という）し，貿易量を拡大するであろう．その際貿易だけでなく，各国
の生産パターンはどうなるだろうか．2国の規模が違っている場合はどうなる
だろうか．また交易条件はどのようにして決まるのだろうか．2国の生産規模
を特定して，これらの問題を解明してみよう．

　日本とアメリカの労働賦存量を60と100としよう．両国とも労働を完全雇用
するときの食料と衣料の最大可能な生産量（F と C）は，それぞれ次の式で
表わされる．

$$5F+3C=60 \tag{2-2}$$

$$2F+2C=100 \tag{2-3}$$

(2-2)式は日本の変形曲線（生産可能性曲線）であり，日本が生産できる最大
限の食料と衣料の組合せを表わす．(2-3)式は同じくアメリカの変形曲線であ
る．

　(2-2)式は横軸に食料生産量（F）を，縦軸に衣料生産量（C）をとった
（F, C）の座標面（図2-1）で，A，B 点をつないだ線分で表わされる．A 点
は日本がすべての労働を衣料生産に投入したときの生産点であり，B 点はす

図 2-1　日本の効率的分業パターン

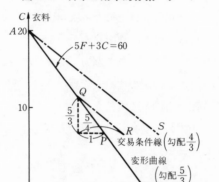

べての労働を食料生産に投入したときの生産点である．*AB* 線上の点はその中間で，衣料と食料を両方とも生産するときのあらゆる組合せを表わしている．*AB* 線の外の，たとえば *R* 点の組合せは生産できない．

　他方 *AB* 線の内部の点の組合せ生産では労働の一部が失業することになる．その意味で *AB* 線は日本の最も効率的な生産可能性を表わしている．*AB* 線の勾配は，食料生産を減らしたときの衣料の生産増加分の比率5/3である．これを生産の限界代替率というが，これはまた比較生産費に等しくなっている．

　貿易前に，日本は *P* 点で生産し，その組合せを消費していたとしよう．アメリカとの貿易の機会が開けて前の数値例と同じく交易条件は4/3（食料1と衣料4/3を交換）になったとする．このとき食料生産を1単位減らして，その分衣料生産を5/3単位ふやすと，生産点は *P* から *Q* に移る．そして衣料生産の増加分を4/3の交易条件で食料と交換すると，消費点は鎖線上を南東にたどって *R* 点に達する．*R* 点では衣料の消費量は *P* 点と同じだが，食料の消費量は *PR*，すなわち1/4多く消費できる．これが食料1単位分だけ衣料生産に特化したときの貿易利益である．

　しかし生産調整を1単位だけにとどめる必要はない．もっと多くの食料生産を衣料生産に切り換える，すなわち *Q* 点から *AB* 線上を北西にたどっていくと，貿易利益はそれだけ大きくなり，最大限 *A* 点までいける．この点では日本は衣料生産だけ行って，食料はすべて貿易を通じて得ることになる．この状

図 2-2　世界の効率的生産
パターン

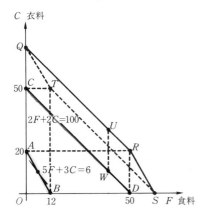

態を衣料生産に完全特化したという.

　交易条件が変わったらどうだろうか. 実は交易条件が 4/3 より小さい場合には, すべて上と同じ特化パターンになる. 4/3 より大きくとも 5/3 より小さいかぎり, 特化パターンは変わらない. しかし交易条件が 5/3 より大きいと, AB 線より急傾斜になって, Q 点で交易条件線は右下から左上へ変形曲線を切る. この場合には食料に特化したほうが有利になって, B 点の食料への完全特化になる. ただ交易条件が 5/3 の場合のみ, AB 線上のどの点で生産してもよい. 国内生産しても, 貿易をしても同じだからである. ただし貿易利益は生じない.

　同じようにアメリカについても変形曲線を描いてから, 1 を中心に交易条件を変えてみて, 特化パターンが確かめられる. 図 2-2 には, 日本の変形曲線 (AB 線) とアメリカの変形曲線 (CD 線), およびその二つを組み合わせた世界の変形曲線 (QRS) が描かれている. 表 2-3 に示されるように 5 通りの交易条件を設定して, AB と CD を組み合わせる. 交易条件が 1 より小さく, 両国が衣料生産に完全特化するときは Q 点になる. 交易条件が 1 のときは, 日本は衣料に完全特化だから, A 点の上に CD を重ねれば (CD 線を 20 だけ上方移動する), QR 部分が得られる. 交易条件が 1 と 5/3 のあいだのときは日本は衣料に, アメリカは食料に完全特化するから R 点になる, 等々. QRS

表 2-3　交易条件と特化パターン

| 交　易　条　件 | 比較生産費原理に沿った特化パターン | |
	日　　　　本	ア　メ　リ　カ
(1)　1より小	衣　　　　料	衣　　　　料
(2)　1	衣　　　　料	衣　料・食　料
(3)　1より大, $\frac{5}{3}$より小	衣　　　　料	食　　　　料
(4)　$\frac{5}{3}$	衣　料・食　料	食　　　　料
(5)　$\frac{5}{3}$より大	食　　　　料	食　　　　料

線は両国が特化と貿易を最も効率的に行って到達しうる食料・衣料の最大量の組合せである．この外の点は到達しえない．交易条件がいくらであり，どの生産組合せが行われるかは需要側の要因にもよる．たとえばそれが U 点で決まるとすると，このときの交易条件は1になり，アメリカは CD 線の W 点で両財を生産し，日本は A 点で衣料生産に完全に特化する．

　また需要条件によって RS 線上の点が選ばれたら，交易条件は5/3に決まる．つまり食料が割高になる．アメリカは食料生産に完全特化し，日本は衣料とともに食料も生産する．R 点が選ばれた場合には両国とも完全特化になる．もっとも貿易は真中の三つのケースとも，日本が衣料を，アメリカが食料を輸出するパターンは変わらない．そして R 点の場合には交易条件は1から5/3まで幅があり，そのどれに決まるかは，両国を合わせて消費者が食料と衣料を選好する程度（消費の限界代替率）による．食料への選好が強く，交易条件が5/3に近いほど，アメリカの貿易利益が大きくなるわけである．

《自由貿易論の根拠》
　2国が比較生産費原理に沿って特化と貿易を行えば世界でも最も効率的な分業パターンになることを示した．そのような分業パターンはどうしたら実現できるのか．計画当局が正しい貿易パターンを指示するわけではない．国内・国外で自由競争が行われれば，価格のシグナルが与えられて，各人が利潤を最大にするように行動し，結果としてそれが実現する．自由貿易は効率的分業パタ

ーンに導く．これが自由貿易論の根拠である．上述の貿易モデルでこの点を明らかにしよう．

　いま，食料と衣料の世界市場価格が次のように与えられたとしよう．為替相場は1ドル＝200円であるとする．

	食料	衣料
円建て	18000（円）	15000（円）
ドル建て	90（ドル）	75（ドル）

単位当り労働投入量×賃金率＝生産費だから，日本で完全競争下で衣料生産が行われていれば価格と生産費は等しくなり，賃金は

$$15000（円）÷3＝5000（円）$$

になる．

　この賃金のもとでは食料生産費は

$$5000（円）×5＝25000（円）$$

であり，これは世界市場価格を大きく上回るから食料生産は行われない．

　他方アメリカでは食料価格が90ドルであるから，賃金は，

$$90（ドル）÷2＝45（ドル）$$

となる．この賃金下では衣料の生産費は世界価格を上回ってしまう．

$$45（ドル）×2＝90（ドル）>75（ドル）$$

つまりアメリカでは衣料生産は行われない．日本は衣料に，アメリカは食料に完全特化しているのだから，図2-2のR点が選ばれているわけである．ちなみに先の2財の交易条件は6/5で，1と5/3のあいだに入るから，生産点はR点になるわけである．他の交易条件についても生産費と価格の比較を試みれば，必ずQRS線上に乗ることが確かめられよう．自由競争メカニズムが最も効率的な分業パターンを成立させるのである．

2-3　労働生産性理論の現実説明力

《多数財モデルへの拡張》

　ふたたび貿易パターンの決定の問題にもどろう．リカードの比較生産費原理

の説明では，労働を唯一の生産要素とみなして，労働投入係数の両産業間の比率（比較生産費）の大小で，2国間の貿易パターンが決まった．食料と衣料のモデルでは前出のとおり

$$\frac{a_{fJ}}{a_{cJ}} > \frac{a_{fA}}{a_{cA}} \qquad (2\text{-}1)$$

なら，日本が衣料を，アメリカが食料を輸出する貿易パターンになる．労働投入係数の逆数は労働生産性になるから，これは両産業間の労働生産性比率の格差によって貿易パターンを決定する，労働生産性理論といってもよい．(2-1)式を同一産業内での2国間比率の形に書き換えると

$$\frac{a_{fJ}}{a_{fA}} > \frac{a_{cJ}}{a_{cA}} \qquad (2\text{-}1)'$$

多数財モデルへの拡張が容易になる．いま n 個の産業があるとしても，各産業で2国間の労働投入係数の比率をとって，大きい順に 1, 2, 3, ……, n と並べることができる．

$$\frac{a_{1J}}{a_{1A}} > \frac{a_{2J}}{a_{2A}} > \cdots\cdots > \frac{a_{nJ}}{a_{nA}}$$

労働生産性は労働投入係数の逆数だから，分母子の逆数をとると，不等号の向きは逆になる．

$$\frac{\left(\dfrac{1}{a_{1J}}\right)}{\left(\dfrac{1}{a_{1A}}\right)} < \frac{\left(\dfrac{1}{a_{2J}}\right)}{\left(\dfrac{1}{a_{2A}}\right)} < \cdots\cdots < \frac{\left(\dfrac{1}{a_{nJ}}\right)}{\left(\dfrac{1}{a_{nA}}\right)} \qquad (2\text{-}4)$$

2財モデルにならって，1に近い財ほどアメリカが比較優位をもち，n に近い財ほど日本が比較優位をもつということができる．しかし 1, 2, ……のどこまでをアメリカが輸出し，n, $n-1$, ……のどこまでを日本が輸出するのだろうか．それを決めるには2国の絶対生産費を比較しなければならない．

　前ページの数値例にならって，i 財の生産費は，日本では円建てで

$$P_{iJ} = a_{iJ} \cdot W_J \qquad (2\text{-}5)$$

アメリカではドル建てで

$$P_{iA} = a_{iA} \cdot W_A \qquad (2\text{-}6)$$

で表わされる．W_J は日本の賃金率（円建て）であり，W_A はアメリカの賃金

率（ドル建て）である．為替相場 e（1ドル当り円）をアメリカの生産費に乗じて円建てにしたうえで日米の生産費の比率をとると

$$\frac{P_{iJ}}{P_{iA}\cdot e}=\frac{a_{iJ}}{a_{iA}}\cdot\frac{W_J}{W_A\cdot e} \tag{2-7}$$

になる．日本の生産費のほうがアメリカより低ければ，つまり $P_{iJ}<P_{iA}\cdot e$ ないしは $P_{iJ}/P_{iA}\cdot e<1$ であれば，i 財は日本が輸出する．そのとき

$$\frac{a_{iJ}}{a_{iA}}\cdot\frac{W_J}{W_A\cdot e}<1$$

ないしは

$$\frac{W_J}{W_A\cdot e}<\frac{\left(\dfrac{1}{a_{iJ}}\right)}{\left(\dfrac{1}{a_{iA}}\right)} \tag{2-8}$$

になる．すなわち右辺は i 財生産の労働生産性の日米比率になり，左辺は日米賃金比率である．したがって日米労働生産性比率が日米賃金比率を上回っている財は日本が輸出する．逆に日米労働生産性比率が日米賃金比率を下回っている財はアメリカが輸出することになる．

　図2-3 はこの関係を図示したものである．右上がりの曲線（実線）は（2-8）式の各財を労働生産性比率の小さいものから順にプロットしたもので，日米労

図 2-3　労働生産性格差による貿易パターンの決定

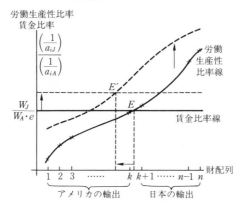

働生産性比率線とでもよぶべきものである．右へいくほど日本の生産性がアメ
リカに比して高くなる．水平線は日米賃金比率を表わしており，すべての財に
共通に適用される．賃金比率線が労働生産性比率線を切った点が2国間の輸出
入パターンを区分するもので，$k+1$財から右が日本の輸出品，k財から左が
アメリカの輸出品になる．

《日米貿易問題への適用》

　リカード型多数財貿易モデルを使って日米貿易問題を分析してみよう．これ
まで4半世紀間の日米貿易の変化は大きかった．日本からの輸出品目を見ても，
1950年代は繊維，雑貨だけだったのが，1960年代には鉄鋼，電気機器，1970年
代には自動車，産業機械と新商品が続出した．これに対応してアメリカの輸出
品目からは鉄鋼，自動車，電気機械と減っていき，農林水産物，航空機，最先
端技術製品に偏ってきた．これは日米相互貿易だけでなく，両国の第三国向け
輸出でもそうである．上述の2国モデルを現実に当てはめるにはこのように第
三国輸出まで含めてよい．そして，このような日米貿易の変化の裏には日米間
の労働生産性格差や賃金率，為替相場の変化が働いていたと考えられる．

　1960年代には日本の工業の労働生産性の伸びは平均年率5.1%で，アメリカ
の1.6%を大きく上回った．それが全部門でほぼ一律に生じたとすると，図2-
3の横軸の産業配列は変えずに，労働生産性比率線が上方移動する形で描かれ
る．1960年代には為替相場は1ドル＝360円で変わらなかったが，賃金上昇率
は日本が平均年率6%でアメリカの4.1%を上回り，日米賃金比率は22%から
45%までほぼ倍増した．賃金比率線も上昇したが，労働生産性比率線の上昇の
幅が大きかったから，交点の E は E' へ左方に移動する．横軸の E から E'
のあいだに入るものがアメリカの輸出品から日本の輸出品に変わったもので，
日本の新輸出品であった．またこの間に日米貿易収支は赤字基調から黒字基調
に変わった．

　同じようにアメリカの貿易パターンの変化が西ドイツなどとのあいだにも起
こって大幅な貿易収支不均衡，ドル不安が発生し，1971年8月，ニクソン大統
領は新経済政策を打ち出して不均衡を是正しようとしたのである．その主要な

柱は，ドルの交換性を停止してドルの切下げを促すことであったし，アメリカの賃金凍結であり，アメリカの生産性上昇のための設備投資優遇税制であった．これらの変数のいずれもがわれわれの多数財貿易モデルに含まれており，図2-3の E' 点を右へ引き戻す方向に働くことがわかる．

　しかしこの調整はあまり実効が上がらず，1970年代にもアメリカの生産性上昇は早められず，他方賃金上昇は続いた．図2-4は1970～80年間の日米の生産性比率の変化を図示したものである．皮革，印刷，衣類，紙などのようにアメリカの労働生産性上昇のほうが高かったものもあるが，他の工業部門ではすべて日本の上昇率が高く，とくに自動車，電気機械，精密機械，産業機械などで日本の上昇率が大きかった．上述の例外部門を除けば労働生産性比率線は大きく上方移動している．他方この間に賃金率は日本のほうが上昇が大きく，為替相場も33％の円高になったから，日米賃金比率は為替相場調整込みで，56％まで上がった．ここでも労働生産性比率線の上昇のほうが大きく，E 点はさらに左へ移動した．ここで自動車，一部産業機械などが E 点の右に移り，アメリカの対日貿易赤字はいっそう拡大したのである．

図 2-4　日米労働生産性比率の推移（1970～80年）

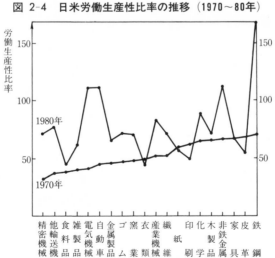

(出所)　日本生産性本部『労働生産性の国際比較』1984年6月，製造業種別付加価値労働生産性の日米比率（％）．横軸の業種は1970年の日米比率の大きい順に右から左へ配列されている．

《労働生産性理論の実証》

　以上のように労働生産性理論では2国間の労働生産性格差や賃金格差，為替相場など，日頃なじみの深い経済変数が貿易パターンの決定因として登場する．これらの変数によって日米貿易パターンの大まかな説明ができる．しかし労働生産性格差が現実の輸出実績にどの程度影響するのだろうか．そのためにはもっと厳密な分析が必要である．

　表2-4(A) は図2-4 と同じ労働生産性資料を用いて，日米輸出比率の産業クロスセクション回帰分析を行った結果である．すなわち各産業の日米輸出比率が各産業の日米労働生産性比率でどれだけ説明されるかを推定した．この方法は1950年代にイギリスのマクドゥーガルが英米貿易について行って，正の有意な結果を得ている．つまり労働生産性が高いほど輸出実績が大きくなる．日本では1960年代初めに渡部福太郎が同様の方法を日米貿易に当てはめたが，有意な結果が得られなかった．[1]

　ここでは日米相互輸出だけではなく，第三国への輸出も含めて日米の総輸出の比率をとっている．もちろん労働生産性比率が高いほど輸出比率が高くなる，つまり労働生産性の回帰係数は正になると期待している．さらに説明変数として賃金比率と産出量比率を追加した．上述のモデルでは日米各国内ではすべての産業で同一賃金が支払われると仮定したが，現実には賃金率は産業間で異なっている．労働生産性が高くても賃金率が同じく高ければ相殺されてしまって，輸出は大きくならないであろう．賃金比率の係数は負であると期待される．他方，国内産出量が大きいほど輸出供給力があると考えられるから，産出量比率の係数は正であろう．

　表2-4(A) では1970, 76, 80年の3年次について推定したが，あまりよい結果ではない．時系列分析と違ってクロスセクション分析では決定係数が低いのはいたし方がないが，労働生産性比率の回帰係数が正の有意な値になったのは

---

1)　G. D. A. MacDougal, "British and American Exports: A Study Suggested by the Theory of Comparative Cost, Part I," *Economic Journal*, Dec. 1951.

　　小島清・島野卓爾・渡部福太郎『経済成長と貿易構造』勁草書房, 1968年, 第3, 4章.

表 2-4　日米輸出比率と労働生産性比較

(A)　被説明変数：日米輸出比率

説明変数＼年次	定 数 項	労働生産性 比 率	賃 金 比 率	産出量比率	決 定 係 数
1970年	3.01	−2.05	1.17	1.14	0.239
	(0.59)	(−2.15)	(0.72)	(2.67)	
1976年	−6.85	1.83	0.08	0.72	0.233
	(−0.81)	(1.71)	(0.03)	(1.02)	
1980年	−2.76	1.69	−0.61	0.49	0.317
	(−0.32)	(2.01)	(−0.30)	(0.73)	

(B)　被説明変数：日米輸出比率の変化

説明変数＼期間	定 数 項	労働生産性 比率変化	賃 金 比 率 変 化	産 出 量 比 率 変 化	決 定 係 数
1970〜76年	145.41	0.81	−5.01	0.14	0.627
	(3.82)	(2.29)	(−4.24)	(0.59)	
1976〜80年	−15.77	1.00	1.31	0.66	0.536
	(−0.69)	(2.18)	(0.81)	(1.61)	

(注)　日米輸出（第三国向け）比率(A)およびその変化分(B)の21産業クロスセクション回帰分析．(A)は対数線
型回帰，(B)は線型回帰分析．（　）内は t 値．
(出所)　日米労働生産性は図2-4の（出所）参照．日米輸出比率は国連貿易統計．日米の賃金比率および産
出量比率は U. N., *General Industrial Statistics*.

1980年だけである．三つの説明変数が理論的期待に合致した符号になったのは
1980年だけで，しかも賃金比率と産出量比率の係数は有意ではない．

　表2-4(B)は，日米輸出比率も三つの説明変数も変化分をとって回帰分析を行
った推定結果である．その結果は(A)よりもかなりよく，決定係数も高められた．
労働生産性比率も正の有意な係数になっているし，賃金比率の一つは負で有意，
産出量比率は非有意だが二つとも正である．労働生産性比率が上昇した産業ほ
ど輸出比率が上昇しているし，賃金比率や産出量比率の変化の影響も理論的期
待に合致している．

　なぜ(A)の比率のあいだの回帰分析では有意でないのに，(B)の比率の変化分間
の回帰分析が有意になったのか．これは労働生産性だけでは限られた説明力し
かもたないことを示していると解釈すべきであろう．労働は生産要素の一つに
すぎず，労働生産性以外にも個々の産業の輸出競争力に影響する要因（後述の
資本生産性や技術水準）がある．そして1970年代には労働生産性の上昇が著し

かった産業では，資本生産性や技術水準も上昇した．それが労働生産性の変化分で代表されたために，(B)のほうが統計的有意性が高まったと考えられる．次章では資本その他の生産要素を明示的にとり入れて，国際分業パターンの決定因を解明しよう．

2-4　為替変動と貿易

　2-2では為替相場は比較優位の方向を変えないと述べた．しかし貿易業者はつねに為替相場の変動に関心を払っている．輸出や輸入が採算が取れるかどうかは為替相場で決まるからである．2-3の多数財モデルの分析からも分かるように，為替相場で比較優位財が比較劣位財になることはないが，どの財から輸入しなければならないかは為替相場によって決まるのである．以下では為替相場によって貿易量がどのように影響されるかを検討しよう．

《為替相場の変動》
　1970～80年代日本円の為替相場は大幅に変動した．ここで円の為替相場とは円と外国通貨との交換比率である．外国通貨の数と同じだけ為替相場があるわけだが，以下では日本の最大の貿易相手国の通貨であり，最も広く国際的に通用している米国ドル（簡単にドルとよぶ）との交換比率の変動を見ることにする．円・ドル為替相場は通常１ドル当り何円（¥/＄）で表わす．図2-5には過去20年余の円ドル相場の推移（四半期系列）を描いてある．１ドル当り何円で表わした円ドル相場は数値が大きくなるほど円安になり，数値が小さくなるほど円高になることに注意されたい．図2-5の縦軸は上にいくほど数値が小さくなるようにとっている．1971年の１ドル当り360円から，上がり下がりを繰り返しながら，1992年の120円台までほぼ３分の１の数値に，言い換えれば３倍の円高になったことが知られる．1971～73年，1977～78年，1985～87年間の３度の急速な円高化に注目されたい．バブル崩壊後の低成長期にも円高化は続き，95年１月には81円台になったが，その後は円安方向へ転じて，97年央で110円台に戻った．このような為替変動のもとで，貿易や外国投資はどのよう

図 2-5 円ドル相場の推移 (1970〜97年, 四半期系列)

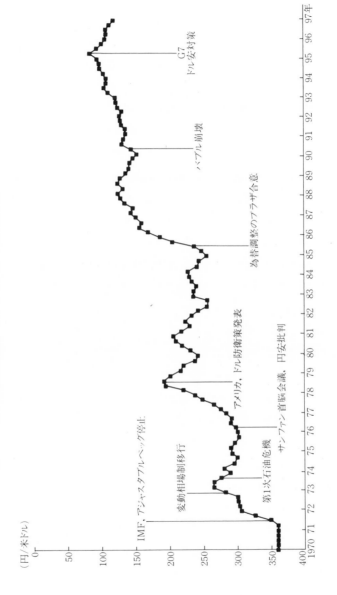

に影響されたかを調べてみよう.

　ただその前に現在為替相場がどのように決まっているかを見ておこう. 円と
ドルとの交換取引には貿易や金融取引にともなって外国為替銀行が顧客とのあ
いだで行う顧客取引と, 外国為替銀行間で行う銀行間取引とがある. 顧客取引
では銀行は一定の為替相場で顧客の持ち込むドル売り (円買い) ないしはドル
買い (円売り) に応ずるだけで, その結果自行のドルの持ち高が多くなりすぎ
れば銀行間取引でドル売りをしてドル持ち高を減らすし, 顧客取引でのドル売
りが多すぎてドルの持ち高が過小になったと判断すればドル買いをしてドル持
ち高をふやす. つまり顧客取引でのドルの需要供給 (その裏側は円の供給需
要) が銀行を通じて銀行間取引に持ち込まれるわけで, 為替相場は銀行間取引
で需要と供給が一致するように決まる. そして銀行間取引相場が半日後の顧客
相場に反映される形で二つの取引は連係している. 銀行が仲介役に徹するとす
れば, 外国為替市場では輸出業者と外国に資産を売却した業者がドルを供給し,
輸入業者と外国に資産投資した業者がドルを需要し, 均衡為替相場は合計の需
要と供給が一致するように決まる.

《貿易への影響》

　まず貿易業者の輸出や輸入契約は為替相場に大きく影響される. 輸出品の外
国 (アメリカとしよう) での販売価格 (ドル建て) は日本からの輸出価格 (円
建て) を円ドル相場で除したものである.

$$P_x(\$) = P_x(¥)/e(¥/\$)$$

日本からの輸出価格が変わらなければ, 円ドル相場が大きく (円安に) なれば
アメリカでの販売価格が安くなって売行きがふえ, 輸出量がふえる. 他方輸入
品の国内販売価格も同様に

$$P_m(¥) = P_m(\$) \cdot e(¥/\$)$$

のように表わされ, 外国からの輸入価格が変わらなければ, 円ドル相場が大き
く (円安に) なれば国内販売価格も高くなって, 売行きが減り, 輸入量は減少
する. 円高の場合にはこれと逆の影響が現れる.

　貿易業者によるドル需要・供給はここから図2-6のように導かれる. 輸出入

図 2-6　為替相場の決定

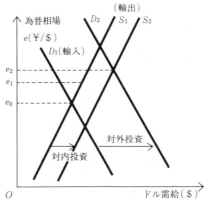

業者は円ドル相場が大きく（円安に）なるほど輸入量を減らすからドル需要は減少する，すなわち輸入業者のドル需要曲線は右下がりになる．他方輸出業者は円ドル相場が大きくなるほど輸出量をふやすからドル供給は増加する，すなわちドル供給曲線は右上りになる．もっともあまり円安になると輸出量当りのドル稼得額の減少のほうが上回ってドル供給量は減少，つまりドル供給曲線は上のほうで左方へ逆戻りする．しかし図2-6では右上りの供給曲線（S_1）を描き，これと右下がりの需要曲線（D_1）とが交差する点で均衡為替相場（e_0）が決まることを表わしている．

　ここで貿易取引だけからドルの需要・供給が生ずれば，為替相場の変動が輸出入の均衡を回復するように働く傾向があることに注目したい．円ドル相場が均衡相場 e_0 より高く，e_1 のように割安に決まれば，輸出からのドル供給は輸入からのドル需要を上回って，為替市場でドルの超過供給が生じ，円ドル相場が下がる（円高になる）．円高化によって輸出は減少し，輸入は増大するからである．逆に均衡相場より低く，円が割高に決まっていれば，輸出は過小に輸入は過大になって，ドルの超過需要が生じている．その結果円ドル相場を引き上げる（円安にする）ような力が働いて，輸出をふやし輸入を減らすような調整が行われる．これが為替相場による貿易の自動調整作用である．

　つまり為替相場変動は輸出入の均衡を回復するように働くはずだが，現実に

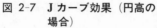

図 2-7　Jカーブ効果（円高の場合）

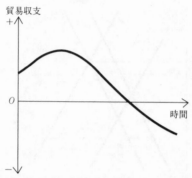

は円高になっても輸出が減らず，輸入もふえないという現象がある．これはなぜだろうか．実は，この為替調整による貿易変化には時間がかかることが知られている．ドル建ての貿易収支は次のように表わされる．

　　　貿易収支（＄）＝輸出数量×輸出価格（＄）－輸入数量×輸入価格（＄）

円高　（短期）増加　（不変）　　（上昇）　　　（不変）　　　（不変）

　　　（長期）減少　（減少）　　（上昇）　　　（増加）　　　（不変）

　円高の効果は長期的には上で説明したとおりだが，短期的には異なるからである．契約が結ばれてから実際に輸出入が実施されるまでには通常3〜6カ月かかるので，その間に円高になっても輸出入数量は変わらず，円建てで契約した分のドル建て輸出価格が上がった分だけ輸出額がふえるのみである．輸入はほとんどがドル建て契約なので輸入額は変わらない．したがって短期的にはドル建ての貿易収支の黒字はふえる．円高後に結ばれる契約では輸出数量は減少し，輸入数量は増加するから，貿易収支の黒字は減少していく．円高による貿易収支の推移は図2-7のようにJの字を逆にしたような形になる．これがJカーブ効果とよばれるものである．さらに円高になってもドル建て輸出価格をなかなか引き上げない，円高分より小幅でしか引き上げない場合もあり，貿易収支の黒字が減少に転じるまでにもっと時間がかかることになる．わが国の場合1年半から2年かかるといわれる．

《国際投資への影響》

　借款や証券投資，直接投資は為替変動でどのような影響を受けるだろうか．国際投資のより詳しい分析は第4章に譲るが，国際投資に対する為替相場の影響は貿易の場合より複雑である．借款や証券投資の場合には外国との金利格差や投資資金の入手可能性がおもな要因になるし，現在の為替相場より，今後それがさらに上がるか下がるかという予想為替相場のほうが決め手になる．今後も円高化が続くと予想すればドル建ての海外資産の円価値は減価するので，借款や証券投資を差し控えることになろう．もうこれ以上の円高化がないと予想すれば円高になって海外資産の円価値が安くなった分だけ投資しやすくなる．対日証券投資の場合にはちょうどこれと逆の影響が考えられる．

　対外直接投資の場合にはさらにほかの要因が影響する．円高によって国内で生産した財は割高になり，輸出しにくくなる．海外で生産して現地販売するか，ないしはそこから第三国に輸出するほうが有利になる．一般的には円高になると対外直接投資が促進される．これが1986〜87年の急速な円高化のもとで海外投資ブームが起こった理由である．しかしこれは2年間で2倍の円高になるという特異な状況で現れたことで，もっと小幅の円高の場合にはそれが今後も継続すると予想するか，それとも円安になると予想するかで変わってこよう．さらに直接投資の場合には，為替相場の変動やその予想よりも，投資先のコスト条件や市場としての成長可能性といった長期的な要因のほうが重要な決定因になることが多い．

　そこで先に掲げた図2-6では，対外資本取引のためのドル需要や対日資本取引からのドル供給は，為替相場の水準には直接かかわらずに，輸入のためのドル需要曲線 D_1 や輸出からのドル供給曲線 S_1 に追加（右への平行移動）する形で描き加えることにする．S_1 曲線と S_2 曲線の差が対内資本取引からのドル供給であり，D_1 曲線と D_2 曲線の差が対外資本取引のためのドル需要である．そして S_2 と D_2 の交点で均衡円ドル相場が決まる．国際投資が活発化した現在，資本取引から生じるドル需要・供給が貿易から生じるドル需要・供給を上回っている．さらに資本取引は貿易のような反応の遅れがない．その結果為替

変動は貿易取引の結果よりも資本取引の変動に左右される傾向が強い.

【練習問題】

(1) 食料について, いろいろの交易条件 (食料の対衣料価格) に対する2国
合計の生産量をプロットして, 食料の世界供給曲線を導びけ. 2国合計の
食料需要曲線が, 通常の右下がり線で与えられると考えて, 需給の交点で
均衡交易条件が求められることを確かめよ.

(2) オータルキー (自給自足) の状態は, 両国が比較生産費原理にもとづい
て正しく特化している状態より効率が低いが, 比較生産費原理とは逆の方
向に特化している状態 (図2-2の QTS 線) よりも効率が高いことを示せ.

(3) 世界価格が食料・衣料とも90ドルで, 為替相場が1ドル=200円の場合,
自由競争メカニズムのもとで, QR 上の点が実現することを確かめよ.

(4) リカード貿易モデルの数値例 (付表——労働者1人・年当り生産単位を
表わす) を用いて, 次の問に答えよ.

   1) A国はどちらの財に比較優位をもつか. 理由を記せ.

   2) 比較生産費原理に反する貿易をすると不利益を被ることを示せ.

		A国	B国
食	料	5	15
衣	料	10	20

(5) 次の陳述は正しいか, 誤りか. 正誤の判定を明記したうえで, その理由
も記せ (正誤の判定は絶対ではなく, 陳述にコメントする際のスタンスを
定めるものと考えてよい).

   1) 為替相場の変動は貿易パターンに影響を及ぼさない.

   2) 比較生産費原理に沿った貿易をするには, 政府がなにを輸出し, な
にを輸入するか指示してやる必要がある.

(6) 次の語句を簡潔に説明せよ.

   1) 比較生産費原理   2) 労働生産性理論

   3) Jカーブ効果

第**3**章

貿易パターンの決定因

　前章では現実を単純化した貿易モデルを操って，貿易パターンが比較優位によって決められ，その結果どのような貿易利益を生ずるかを学んだ．そこでは労働生産性格差が比較優位を決定すると考えた．それでは労働生産性格差はなにによって決まるのか．リカードはそれぞれの産業に適した生産環境で決まると説明したが，この生産環境のなかには気象条件，土地の肥沃度，すぐれた生産技術など種々の要因が含まれており，説明としては完結していない．また前章2-3で見たように，労働生産性格差だけでは2国の輸出比率も十分説明できない．

　現実の生産には労働だけでなく，機械設備や土地なども投入される．その他の生産要素をどれだけ労働と組み合わせかたによって労働生産性が違ってくる．さらに，その他の生産要素の生産性格差も貿易に影響するのではないだろうか．そこで労働以外の生産要素も取り入れた貿易モデルをつくってみよう．

3-1　生産要素比率理論

　まず生産には労働以外の生産要素も投入されることに着目する．機械設備や土地などである．これを一括して資本とよぼう．[1] 労働と資本の投入比率が産

---

1)　厳密には土地は資本とは異質な生産要素だが，ここで2要素モデルを扱うため，労働
　　以外の生産要素として一括した．3-2以下では多数要素を扱う．

業ごとに異なっており，ある産業は労働集約的であり，他の産業は資本集約的である．次に労働，資本の報酬は国によって異なる．労働が豊富な国では労働が割安になるし，資本が豊富な国では資本が割安になる．そして労働が割安であれば労働集約的産業の生産費は割安になり，資本が割安であれば資本集約的産業の生産費が割安になる．ここから労働と資本の賦存状態が異なる国のあいだで比較生産費格差が生ずることになる．このように各財の生産も，各国の生産要素賦存状態も，すべて労働と資本の組合せで特徴づけるのでこれを生産要素比率理論という．そのかわり生産技術知識は2国間で共通であり，生産要素の質も同じで，それぞれの産業の生産環境の違いというようなことは考えていない．

《2要素モデルでの比較生産費格差》

　本章の貿易モデルには2国（日本とアメリカ），2財（衣料と食料），2要素（労働と資本）がある．前章の貿易モデルとのちがいは，各財の生産費には労働賃金支払いだけでなく，資本の賃貸料も含まれることである．たとえば日本での食料生産費は

$$P_{fJ} = a_f W_J + b_f R_J \tag{3-1}$$

になる．a_f と W_J は前章と同じく食料生産への労働投入係数と日本の賃金率である．b_f と R_J は食料生産への資本投入係数と資本の賃貸料（以下利子率とよぶ）である．

　(3-1) 式を次のように書き直す．

$$P_{fJ} = a_f R_J \left(\frac{W_J}{R_J} + \frac{b_f}{a_f} \right) = a_f R_J (w_J + k_f) \tag{3-2}$$

右辺の（　）のなかの w_J は賃金・利子比率（W_J/R_J）ないしは要素価格比率であり，k_f は食料生産の資本・労働比率（b_f/a_f）ないしは要素集約度である．

　衣料の生産費も同様にして，

$$P_{cJ} = a_c W_J + b_c R_J = a_c R_J \left(\frac{W_J}{R_J} + \frac{b_c}{a_c} \right) = a_c R_J (w_J + k_c) \tag{3-3}$$

と表わされる．両産業で支払われる賃金，利子率は同一だから，要素価格比率

は共通の w_J だが，要素集約度のほうは 2 産業間で異なる．2 財の比較生産費
をとると

$$\frac{P_{fJ}}{P_{cJ}}=\frac{a_f}{a_c}\frac{(w_J+k_f)}{(w_J+k_c)} \tag{3-4}$$

になる．

　アメリカについても食料と衣料の生産費は同じように表わされる．

$$P_{fA}=a_f W_A + b_f R_A$$

$$P_{cA}=a_c W_A + b_c R_A$$

日米の技術は同じで，資本と労働の投入係数は変わらない．アメリカの比較生
産費は

$$\frac{P_{fA}}{P_{cA}}=\frac{a_f}{a_c}\frac{(w_A+k_f)}{(w_A+k_c)} \tag{3-5}$$

になる．アメリカの賃金，利子，生産費はドル建てだが，いずれも比率をとっ
てしまうので為替相場にわずらわされずに，(3-5)式と(3-4)式は比較できる．
比較生産費の差をとると

$$\left(\frac{P_{fJ}}{P_{cJ}}-\frac{P_{fA}}{P_{cA}}\right)=\frac{a_f}{a_c}\left(\frac{w_J+k_f}{w_J+k_c}-\frac{w_A+k_f}{w_A+k_c}\right)$$

$$=\frac{a_f}{a_c}\frac{(w_A-w_J)}{(w_J+k_c)}\frac{(k_f-k_c)}{(w_A+k_c)} \tag{3-6}$$

と整理される．すなわち 2 国の比較生産費の大小は 2 国間の要素価格比率の大
小 (w_A-w_J) と 2 産業間の要素集約度の大小 (k_f-k_c) とで決定される．い
まアメリカのほうが賃金，利子比率は高い $(w_A>w_J)$ としよう．もし食料生
産のほうが資本集約的であれば，食料の比較生産費は日本のほうが高い．

$W_A>W_J$（アメリカのほうが資本豊富，賃金高）

$k_f>k_c$ ならば $\dfrac{P_{fJ}}{P_{cJ}}>\dfrac{P_{fA}}{P_{cA}}$　　　$\Rightarrow$ H.O.定理 (3-7)

すなわち賃金が割高なアメリカは食料生産に比較優位をもち，利子が割高な日
本は衣料生産に比較優位をもつ．一般化すると，

　　各国はそれぞれ割安な生産要素を集約的に投入する財の生産に比較優位を
　　もち，そのような財をたがいに輸出し合う貿易パターンが成り立つ．

これは初めに提唱した 2 人のスウェーデンの経済学者の名をとって，ヘクシャ

ー＝オリーン定理とよばれている．ちなみにオリーン（Bertil Ohlin）は1978年にノーベル経済学賞を受賞している．

《可変的投入係数の場合》

　前項の貿易モデルでは資本と労働の投入係数は固定されていて，しかも 2 国で同一であった．しかしアメリカのほうが賃金が割高なら，種々の省力化の工夫が行なわれて，労働をより少なく，資本をより多く投入する，つまり労働を資本に代替する傾向が生ずるであろう．同じ単位生産をするのに生産要素間の代替が可能で，資本，労働の投入係数が変わる場合にも，上述のヘクシャー＝オリーン定理は成り立つであろうか．

　以下本節では，生産要素代替が可能な場合にもヘクシャー＝オリーン定理が成り立つことを示そう．説明は若干複雑になるが最低限の図形説明で(3-7)式が成り立つことを示す．貿易パターンの決定のみに興味がある読者はこのまま3-2に進んでよい．

　以下の説明では 2 国・2 財・2 要素貿易モデルで，要素価格や財価格の変化に対して生産要素の配分や 2 財生産比（産業構造）がどのように調整されていくかが示される．

　たとえば衣料を 1 単位生産する資本と労働の組合せは一通りではない．図3-1は衣料生産 1 単位に投入される資本と労働の組合せを表わしている．たとえば OQ_1 のベクトル（矢印つきの線分）は a_c の労働と b_c の資本を投入する生産方法を表わし，OQ_1 の勾配は前出の衣料生産の要素集約度 k_c を表わしている．このほかにも OQ_2 のベクトルのような，労働をより多く資本をより少なく投入する生産方法もある．OQ_2 よりもっと労働集約的な生産方法(OQ_3)もあるし，逆に OQ_1 よりもっと資本集約的な生産方法（OQ_4）もある．この Q_4—Q_1—Q_2—Q_3 を結んだ線を等生産量曲線というが，それは図 3-1 のように原点に凸の曲線になる．これはなぜだろうか．

　OQ_1 の生産方法から OQ_2 の生産方法に転換するには，資本を若干量減らし（$-\Delta b$），労働を若干量ふやす（$+\Delta a$）必要がある．しかし生産量は変わらないから資本投入の減少による生産減少と労働投入の増加による生産増加とはつ

図 3-1　等生産量曲線

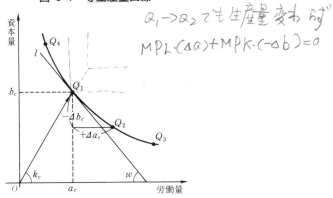

（注）　上図で Q_1 と Q_2 の間隔を小さくとる
ほど，接線 l の勾配は $\Delta b / \Delta a$ に近づく．

りあわなければならない，つまり

$$MPL \cdot (\Delta a) + MPK \cdot (-\Delta b) = 0$$

MPL と MPK は Q_1 での労働と資本の限界生産力である．したがって労働増
加当りの資本減少の比率（限界代替率）は次のように表わされる．

$$限界代替率 = \frac{\Delta b}{\Delta a} = \frac{MPL}{MPK} \tag{3-8}$$

これは Q_1 と Q_2 を結んだ線分の勾配だが，Q_1 と Q_2 の間隔を狭めていけば Q_1
での等生産量曲線の接線（l）の勾配に近づく．OQ_2 では資本量が少なく，労
働量が多いから，Q_1 より労働の限界生産力は小さく，資本の限界生産力は大
きい．その結果，限界代替率は Q_1 より Q_2 のほうが小さい．

　等生産量曲線を右へたどって，資本を労働に代替していくほど，労働増分当
り資本節約分は小さくなる．これを限界代替率逓減法則という．このとき等生
産量曲線の接線の勾配は小さくなる．つまり等生産量曲線は右へいくほど水平
に近づく．逆に等生産量曲線を左へたどると，労働を1単位ずつ減らすのを補
う資本の必要分は大きくなり，接線勾配は大きくなる．つまり等生産量曲線は
左へいくほど垂直に近づく．だから等生産量曲線は図3-1のように原点に凸に
なるのである．

　それでは多数の資本・労働の組合せのなかのどれを選んだらよいのか．それ

48

は限界生産力均等の法則で決められる．つまり労働費用当りの労働の限界生産力と資本費用当りの資本の限界生産力が等しければ，すなわち

$$\frac{MPL}{W} = \frac{MPK}{R}$$ (3-9)

であれば，それ以上労働と資本の組合せを変えても生産量はふえない，最も効率的な生産方法である．(3-9)式を書き直すと

$$\frac{MPL}{MPK} = \frac{W}{R}$$

になり，この左辺は限界代替率に等しい．すなわち限界代替率が賃金・利子比率に等しいとき，最も効率的な生産が行われている．たとえば現在与えられた要素価格比率が図3-1の右下がりの直線 l の勾配（w）であれば，それが接する等生産量曲線上の点 Q_1 が最適生産点になる．

《要素価格比率と比較生産費》[*]

　図3-2には図3-1と同じ労働・資本座標面に食料と衣料の2財の等生産量曲線をいっしょに描いた．食料生産のほうが資本集約的だと仮定したから，食料の等生産量曲線 F のほうが左側に位置する．現在の要素価格比率 w の勾配をもった直線 l がたまたま F，C 曲線の双方に接しているとしよう．その接点 Q_f と Q_c が食料と衣料の最適生産点であり，OQ_f と OQ_c の勾配はそれぞれ食料生産と衣料生産の要素集約度 k_f と k_c になる．

　要素価格比率が現在よりも賃金が割高の w' になったらどうか．要素価格比率線はより急勾配の l' になり，もはや単一の価格比率線で F，C 曲線に接するわけにはいかない．l_1' が Q_c' で C 曲線に接し，l_1' と並行な l_2' が Q_f' で F 曲線に接する．Q_c' と Q_f' が最適生産点であり，OQ_c'，OQ_f' の勾配で表わされる要素集約度はいずれも以前より資本集約的になる．しかも食料生産のほうが衣料生産より資本集約的であることは変わらない．

　このとき食料と衣料の比較生産費はどうなるか．図3-2では各財の生産費は単位生産量曲線に引いた接線の横軸ないしは縦軸の切片で表わされる．w の要素価格比率のもとで Q_c 点および Q_f 点で生産したときは，共通の接線 l の

図 3-2　最適生産点の決定

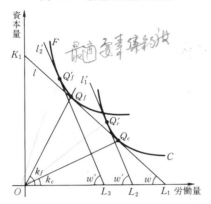

横軸の切片 OL_1 が労働で測った生産費であり，縦軸の切片 OK_1 が資本で測った生産費になる．もちろん w の要素価格比率のもとではこの二つは等価である．そして食料と衣料の生産の接線は共通だから，切片すなわち生産費も共通，比較生産費は1になる．しかし要素価格比率がより賃金割高の w' になった場合には，衣料の生産費は接線 l_1' の横軸切片 OL_2，食料の生産費は l_2' の切片 OL_3 だから，比較生産費は1よりも小さくなる．

このように要素価格比率 w が上昇（賃金割高化）すると最適要素集約度は両財生産とも高くなり，比較生産費 p（$=P_f/P_c$）は低下（食料が割安化）する．逆に要素価格比率が低下（賃金割安化）すれば，最適要素集約度は両財とも低下し，比較生産費は騰貴することは図3-2で容易に確かめられる．

図3-3はこの3変量間の関係を描いたものである．横軸には要素価格比率をとってある．図の上半分では，要素価格比率が上がると両財とも最適資本集約度が高くなることを示す．どの要素価格比率のもとでも食料の要素集約度は衣料より高い．図の下半分では，要素価格比率が上がると比較生産費 p が低下することが示される．どの要素価格比率をとっても両財の最適要素集約度と比較生産費が一つずつ定まることに留意されたい．要素価格比率と要素集約度と比較生産費のあいだの一々対応の関係は重要である．

さらに図3-2と図3-3の関係は日本とアメリカに共通であることを確かめよう．冒頭で仮定したように生産技術知識は両国に共通であり，同一の食料，衣

図 3-3　要素価格と比較生産費の
一々対応関係

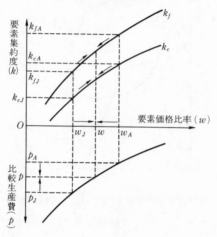

料の等生産量曲線が両国に適用される．相違は要素価格比率だけである．前と
同じくアメリカのほうが賃金が割高（$w_A > w_J$）であるとすれば，両財とも要
素集約度はアメリカのほうが日本より高くなり（$k_{fJ} < k_{fA}$，$k_{cJ} < k_{cA}$），食料の
比較生産費はアメリカのほうが低い（$p_J > p_A$）．これは(3-7)式と一致している．
ただし資本と労働の代替が行われて，要素集約度が日米間で異なっている．

《生産パターンの決定》

　これまで両財の単位生産のみを分析して，要素価格比率と比較生産費の関係
を調べてきた．次に生産要素比率モデルで両財の生産と貿易のパターンがどの
ように決定されるかを調べよう．そのためには日本とアメリカの労働と資本の
賦存量を知らなければならない．実際には推定技術上のいろいろな問題があっ
て正確には測れないが，とりあえず日本とアメリカの労働と資本の賦存量を
（L_J，K_J）と（L_A，K_A）としよう．

　次に単位生産を超えて生産を拡大する場合に，労働・資本の投入量の増加と
生産量の増加の関係を調べておかなければならない．生産要素比率理論で通常
使われる仮定は規模に関する収穫不変である．これは労働と資本の投入量を同

図 3-4 契約曲線と生産要素の配分

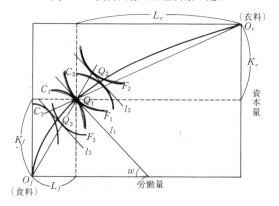

じ割合でふやした場合，それと同率で生産量も増加するというものである．図
3-1で OQ_1 のベクトクを2倍に延長すると2単位生産の等生産量曲線に達す
る．したがって図3-1では単位生産量曲線の外側に2単位，3単位，……の等
生産量曲線群が描かれ，各曲線はいずれも原点に関して相似形になっている．

　図3-4は横に日本の労働賦存量，縦に資本賦存量をとってつくったボック
ス・ダイアグラム（箱図形）である．そして左下の O_f 点を原点にして食料の
等生産量曲線群を描き，他方右上の O_c 点を原点として衣料の等生産量曲線群
を描く．ただし食料生産は資本集約的だから O_f 座標面の左上に位置し，衣料
生産は労働集約的だから O_c 座標面の右下に位置しているので，ボックス・ダ
イアグラムの対角線の左上部分で両財の等生産量曲線群が重なり合うことにな
る．食料と衣料の等生産量曲線の接点を見つけて結ぶと契約曲線 $O_fQ_1O_c$ が描
かれる．どの接点でも両財生産の限界代替率が共通の要素価格比率線に接して
おり，両産業とも(3-9)式の最適生産点の条件を満たしている．つまり要素価
格比率が与えられれば契約曲線上の最適生産点が定まり，その点が2産業への
労働と資本の配分（L_f，L_c と K_f，K_c）と2財の生産量（F_1 と C_1）を決め
る．

　それでは要素価格比率はどのように決まるのであろうか．要素価格比率と比
較生産費とのあいだには図3-3で描かれた一々対応関係がある．さらに食料と
衣料に対する需給で相対価格が決まり，それに等しく比較生産費が決まる．労

52

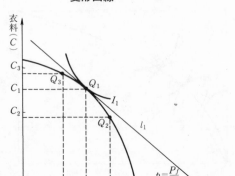

図 3-5 生産要素代替が可能な場合の
変形曲線

働・資本座標面で要素価格比率と要素配分の関係が明らかにされるように，食料・衣料座標面で相対価格と２財生産量の関係が明らかにされる．

図 3-5 は横軸に食料を，縦軸に衣料をとった変形曲線である．図 3-4 の契約曲線上の Q_1 点は図 3-5 の Q_1 点に移される．いま食料生産を 1 単位ふやすとしよう．図 3-4 でベクトル O_fQ_1 の延長上に要素価格比率線 l_1 と平行な l_2 に接する F_2 曲線がある．F_2 曲線は F_1 曲線と相似だが，生産量は 1 単位多い．

他方ベクトル O_cQ_1 上で O_c に寄って，l_2 線に接して C_2 曲線が描かれている．これも C_1 曲線と相似だが，生産量は C_1 より 1 単位少ないとしよう．契約曲線上で食料生産を 1 単位ふやした Q_2 点に接する衣料の等生産量曲線は明らかに C_2 曲線より下位にある．つまり Q_2 点での衣料生産は 1 単位以上少なくなっている．

逆に食料生産を 1 単位減らしたらどうか．ベクトル O_fQ_1 上で O_f に寄って，l_1 と l_2 の間隔と等しく，l_1 と平行な l_3 線を引く．l_3 に接する食料の等生産量曲線 F_3 は規模に関して収穫不変の仮定によって，F_1 曲線より 1 単位少ない．同じ理由で，l_3 線に接する衣料の等生産量曲線は C_1 曲線より 1 単位多い C_3 である．しかし契約曲線上で食料生産を 1 単位減らした点 Q_3 に接する衣料の等生産量曲線は C_3 より上位にある．つまり食料を 1 単位減らしても，衣料生産は 1 単位より少なくしかふえない．この関係を図 3-5 に移したのが Q_2，Q_3

であり，衣料から食料への限界代替率（$\Delta C / \Delta F$）は Q_3 より Q_1 のほうが大きい．つまり限界代替率は逓減するから，変形曲線は原点に対して凹の曲線になる．

　さて最適生産点では，限界代替率は2財の相対価格（比較生産費）P_f / P_c に等しくなくてはならない．相対価格がたとえば l_1 線で与えられれば，それに接する変形曲線上の点 Q_1 が最適生産点になる．

　他方日本の消費パターンのほうは，食料と衣料に対する日本の消費者全体の選好を表わす社会無差別曲線図で与えられている．これは，同一の効用を与える（無差別の）食料と衣料の組合せを結んだ曲線の集合で，食料・衣料座標面上で原点に凸の形をしている．無差別曲線の接線の勾配は，食料と衣料の需要の限界代替率を表わし，それが2財の相対価格に等しいとき，最適消費点になる．[2] たまたま日本の社会無差別曲線が I_1 のように与えられていて，Q_1 点で変形曲線と接していれば，Q_1 点が自給自足状態，つまり貿易開始前の生産・消費均衡になる．p が2財の均衡相対価格になる．それに対応する要素価格 w が図3-3から決まり，最適要素集約度や要素の産業間配分も決定されるわけである．

《貿易パターンの決定》*

　日本とアメリカとでは生産要素の賦存状態が違っているから，自給自足状態での相対価格も違ってこよう．この相対価格ないしは比較生産費の格差が貿易の原因になる．アメリカのほうが日本より資本が豊富で，（作図の便宜上）労働は少ないと仮定しよう．2国の要素賦存状態を表わすボックス・ダイアグラムは，図3-6のようにアメリカのほうが縦長になる．ここでは食料生産の原点 O_f は両国に共通にとって重ねてある．生産関数は両国に共通だから，同じ相対価格，要素価格比率のもとでは要素集約度は同一になる．図3-6は，同じ要素価格比率 w が与えられると，両国とも同じ食料，衣料生産の要素集約度 k_f と k_c が決まり，日本は Q_J 点で，アメリカは Q_A 点で生産が行われることを教

---

2)　本節で使用している契約曲線や変形曲線，無差別曲線はミクロ経済学の基本的概念であるので，なじみのない読者は教科書で勉強していただきたい．

図 3-6　日米のボックス・ダイアグラム

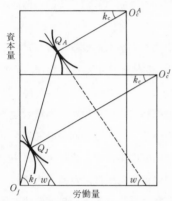

図 3-7　貿易前均衡と貿易後均衡

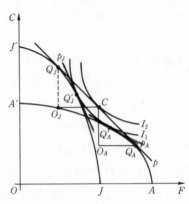

　えてくれる．図からも明らかなように同じ要素価格比率，したがって同じ相対価格のもとで，アメリカは日本より食料を多く，衣料を少なく生産する．この関係を生産物座標面に移すと，図3-7の Q_A と Q_J 点のように，つねにアメリカの生産点が日本より右にくる．日本の変形曲線（JJ'）にくらべてアメリカの変形曲線（AA'）のほうが横長になる．

　日本とアメリカの消費パターンが大差なく，同じ社会無差別曲線図で与えられるとしよう．自給自足状態ではアメリカのほうが食料の生産量，消費量が大きく，比較生産費も割安であろう．両国の均衡点は，それぞれの変形曲線が共通の社会無差別曲線図に接した点で定まる．共通の社会無差別曲線図といっても同一の無差別曲線に接するとは限らないが，図3-7の Q_J'，Q_A' は図を見やすくするために同一の社会無差別曲線 I_1 に接している．Q_J' は Q_J の右にあり，Q_A' は Q_A の左にあるから，Q_J' の接線勾配（p_J）のほうが Q_A' の接線勾配（p_A）より大きい．つまり日本のほうが食料の相対価格が割高である．すなわち資本豊富国アメリカでは資本集約的な食料が割安であり，逆に労働豊富国日本では労働集約的な衣料が割安である．これは(3-7)式のヘクシャー＝オリーン定理と合致している．

《要素価格の国際間均等化》

　自由な貿易が行なわれるとアメリカからは割安な食料が輸出され，日本から
は割安な衣料が輸出される．2財の交易条件はアメリカと日本の貿易前の価格
の中間に決まるであろう．そして両国で，この新しい相対価格に向けて，生産
面でも，消費面でも調整が行なわれる．日本では，価格が騰貴した衣料生産を
ふやし，価格が下がった食料生産を減らす．消費面では逆に衣料消費を減らし，
食料消費をふやす．したがって，衣料の超過供給と食料の超過需要が生ずるが，
前者は輸出に向けられ，後者は輸入でまかなわれる．アメリカではこれと反対
方向の調整が起こる．食料の超過供給分が輸出され，衣料の超過需要分が輸入
される．そして衣料についてはアメリカの超過需要分（輸入）は日本の超過供
給分（輸出）に等しく，食料についても日本の超過需要分（輸入）はアメリカ
の超過供給分（輸出）に等しい．それぞれの需給均衡が同時に成り立つように
交易条件が決まるからである．

　図 3-7 は貿易を通じての生産と消費の調整を表わしている．p 線がそのよう
な貿易均衡線だとしよう．p は貿易前の日本の価格 p_J とアメリカの価格 p_A の
中間にある．p 線上の Q_J と Q_A の中点 C で共通の社会無差別曲線 I_2 が接して
いると考えてよい．日本では価格が p_J から p へ低下し，生産点が Q_J' から Q_J
へ，消費点は Q_J' から C へ移る．新たな生産点 Q_J と消費点 C との差が輸出
入される．すなわち衣料の余剰分 $Q_J O_J$ が輸出され，食料の不足分 $O_J C$ が輸
入される．アメリカでは価格が p_A から p へ騰貴し，生産点が Q_A' から Q_A へ，
消費点が Q_A' から C へ移る．Q_A と C との差が輸出入される．二つの三角形
$Q_J O_J C$ と $Q_A O_A C$ とは合同であり，貿易の三角形とよばれる．

　貿易を通じて相対価格が均等化するのに合わせてこのように生産と消費が調
整される．そこでは当然要素集約度と要素配分の調整もともなう．要素価格比
率も変化するが，その方向は図 3-3 を見るとわかりやすい．図 3-3 の下半分の
p_A と p_J のあいだに交易条件 p が決まると，それぞれの国内で比較生産費を p
に合致させるように調整される．それは図の上半分での要素集約度の調整をと
もなう．すなわち日本では両産業とも要素集約度が上昇し，要素価格比率も騰

貴（賃金割高化）する．アメリカでは両産業とも要素集約度が低下し，要素価格比率も低下する．要素価格比率は日米間で均等化する．[3]

　要素価格の均等化は世界の生産効率化の観点から重要な意味をもっている．日米それぞれの国内で資本・労働の限界代替率を要素価格比率に等しくするように要素配分が行われているのだから，両国間で要素価格比率が完全均等化すると，日米間で資本・労働の限界代替率が均等化し，両国合わせて資本・労働の最適配分が達成される．生産要素が国際間を移動しなくても自由貿易のみで要素の最適配分が実現するわけであり，自由貿易論の強い根拠となっている．

3-2　生産要素比率理論の現実説明力

　生産要素比率理論では，2財を労働集約財か資本集約財かで特徴づけ，2国を労働豊富国か資本豊富国かで特徴づけたうえで，労働豊富国は労働集約財に比較優位をもち，資本豊富国は資本集約財に比較優位をもつことを導き出す．この論理構造は明快だが，現実の貿易パターンに当てはまるだろうか．

《レオンティエフ逆説》

　産業連関分析を創案してノーベル経済学賞（1982年）を受けたワシリー・レオンティエフ（Wassily Leontief）は，産業連関表を用いて，アメリカの貿易パターンが生産要素比率理論に合致していることを証明しようとした．アメリカは世界で最も資本豊富な国だから，資本集約財に比較優位をもち，逆に労働集約財に比較劣位をもっていよう．アメリカの輸出品は資本集約財であり，輸入品は労働集約財のはずである．もっともアメリカの輸出品，輸入品といっても各種の財で構成されており，それぞれ生産方法（資本・労働の投入比率）が違う．そこで輸出100万ドルの産業構成比に産業ごとの労働・資本投入分を乗じて，輸出100万ドルを生産するのに必要な労働と資本の量 L_x と K_x を計算する．ここでは産業連関表を用いて，直接輸出生産に投入される資本，労働の

3）　途中で一国が輸出財生産に完全特化してしまうと，その国ではそれ以上要素集約度の調整は進まず，要素価格比率は完全には均等化しない．

みならず，中間財を通じて間接的に投入される労働・資本も含める．

　輸入については輸入競争財100万ドルを国内で生産するのに直接，間接に投入される労働と資本の量 L_m, K_m を計算する．そのとき資本豊富国アメリカでは

$$\frac{K_X}{L_X} > \frac{K_m}{L_m}$$

になるだろうと予想した．しかし現実には表3-1に示されるように逆の結果になったのである．労働1人当り資本金額（資本・労働比率）は1947年で輸入競争生産のほうが高く，1962年について同じ計算を繰り返しても，やはり輸入競争生産のほうが高かった．すなわちアメリカは労働集約財を輸出して，資本集約財を輸入しており，貿易を通じて労働を多用し，資本を節約していることになる．これはアメリカが資本豊富で労働稀少な国であると考えられているのとは逆である．これがレオンティエフ逆説である．

　他方日本については，建元正弘・市村真一が1953年産業連関表を用いて計算したところによると，輸出生産のほうが輸入競争生産より資本集約的であった．当時の日本は労働豊富国と考えられたから，これもまた生産要素比率理論から予想されるのとは逆の貿易パターンであった．その後1965年についての計算でも，この大小関係は変わらなかった．その他の国についての計算結果は生産要素比率理論と合致するもの，逆説的なものとまちまちであった．こうした結果から生産要素比率理論が，予想されたようには現実の貿易パターンに当てはまりがよくないと結論せざるをえない．

《論争と理論の拡充》

　レオンティエフ逆説は1950〜60年代にかけて，生産要素比率理論についての大論争を引き起こした．この理論がいくつかの前提条件のもとで論理的に成り立つことはすでに証明されている．問題はその前提がどの程度現実に合っているかである．この理論の諸前提について理論的，実証的に検討した研究が多数発表され，それを通じて国際分業論が拡充されてきた．そのおもなものを紹介すると次のとおりである．

58

表 3-1　輸出・輸入競争生産の資本・労働比率

調査対象国	研究者名 (対象年次)[1]				輸出生産	輸入競争 生　産
アメリカ	レオンティエフ[2]	資　　本	(千ドル)		2,550	3,091
	(1947年)	労　　働	(人・年)		182	170
		資本・労働比率			14.01 <	18.18
	ボールドウィン[2]	資　　本	(千ドル)		1,876	2,132
	(1962年)	労　　働	(人・年)		131	119
		資本・労働比率			14.20 <	18.00
日　本	建元・市村[3]	資　　本	(千円)		1,386	1,331
	(1951年)	労　　働	(人・年)		5,520	8,233
		資本・労働比率	(円/人)		251 >	162
	建元・川鍋・堀江[4]	資　　本	(百万円)		15,232	14,975
	(1965年)	労　　働	(人・年)		1,320 <	1,760
		資本・労働比率	(千円/人)		11,539	8,508

(注)　1)　貿易構造の調査対象年次．産業連関表の年次と必ずしも一致しない．
　　　2)　輸出・輸入競争生産100万ドル当り．
　　　3)　輸出・輸入競争生産100万円当り．
　　　4)　輸出・輸入競争生産10億円当り．

(出所)　W. W. Leontief, "Factor Proportions and the Structure of American Trade: Further Theoretical and Empirical Analysis," *Review of Economics and Statistics*, Vol. 38, No. 4 (Nov. 1956). R. E. Baldwin, "Determinants of the Commodity Structure of U.S. Trade," *American Economic Review*, Vol. 61, No. 1 (March 1971). 建元正弘・市村真一「レオンティエフ逆説と日本貿易の構造」『経済研究』1958年1月．建元正弘・川鍋襄・堀江義『日本貿易の資源構造——投入・産出分析』京都大学経済研究所，1970年12月．

(1)要素集約度逆転　生産要素比率理論のなかで最も問題にされたのが，各財の生産の要素集約度の大小が変わらないという前提であった．要素価格比率が高まれば各財とも労働を資本で代替して，要素集約度が高くなる．しかし要素集約度は変わるが，衣料生産のほうが食料生産より労働集約度が高い，という関係は変わらない，と仮定されてきた．しかし労働と資本の代替可能性が財によって違えば，要素集約度の大小が逆になるかもしれない．資本と労働の要素代替弾力性(s)は次のように表わされる．

$$s=\frac{\left(\frac{\varDelta K}{\varDelta L}\right)\left(\frac{\varDelta W}{\varDelta R}\right)}{\left(\frac{K}{L}\right)\left(\frac{W}{R}\right)}$$

すなわち要素価格比率が1％騰貴したとき，要素集約度が何％高まるかを表わしている．要素代替弾力性は生産関数の重要な特徴の一つだが，ミンハス (B.

S. Minhas）は要素代替弾力性が一定である生産関数（CES 生産関数）を考え
だして，それを各産業について推定した。[4] その結果産業間で要素代替弾力性
が異なっていること，しかもいくつかの産業のあいだでは，要素集約度逆転が
現実に発生していることを見いだした。

　図3-8 は要素集約度逆転を例示したものである．紙・パルプ産業のほうが酪
農産業より要素代替の弾力性が小さいため，図3-8 のように並行ではなく両産
業の要素集約度線は交差してしまう．その結果，インドの要素価格比率では
紙・パルプ産業のほうが資本集約的だったが，アメリカの要素価格比率では酪
農産業のほうが資本集約的になる．このような逆転がひんぱんに起これば，要
素集約度で産業を特徴づける意味がなくなる．生産要素比率理論にとって致命
的な批判である．しかし現実にはこのような要素集約度逆転はめったに起こら
ないようである．農業などの1次産業を除くと，日米間で産業の要素集約度の
順位相関はかなり高いという研究がいくつか発表されている．

　(2)天然資源要素の導入　　もう一つの有力な批判は，労働と資本の2要素だけ
で輸出生産や輸入競争生産を特徴づけられるかというものである．第3の生産
要素としては天然資源が容易に考えつく．もっとも天然資源の投入をどう測る
かが問題である．第1次近似として，産業連関表で資源産業（農林水産業と鉱
業）からの投入を，各産業への天然資源要素の投入量として測ることにしよう．

図 3-8　要素集約度逆転の
ケース

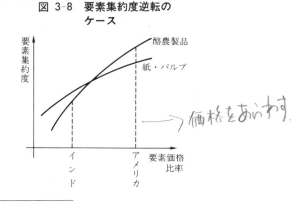

---

　4)　B. S. Minhas, *An International Comparison of Factor Costs and Factor Use,*
　　North-Holland, 1963.

1947年のアメリカの産業連関表で，輸出生産・輸入競争生産100万ドル当り資源産業からの投入は，輸出生産で34万ドル，輸入競争生産で63万ドルであり，輸入競争生産への投入が大きい．資本，労働，天然資源の各要素について

$$\frac{輸出生産への投入}{輸入競争生産への投入}$$

の比率を計算すると

労　　働（L_X/L_M）：1.07　　中間

資　　本（K_X/K_M）：0.82

天然資源（N_X/N_M）：0.54

になる．すなわちアメリカの輸入競争生産は資本集約的というより天然資源集約的である．アメリカもかつては天然資源豊富であった．しかしいまや稀少になった天然資源を生産的に利用するために大量の資本が必要になっており，資本と天然資源の投入には強い補完関係がある．アメリカの輸入が資本集約的というと逆説的だが，天然資源集約的であり，貿易を通じて天然資源の不足を補っているといえば納得できる．資本と労働だけではなく天然資源も導入すれば，レオンティエフ逆説は解消するというものである．

(3)労働の質の相違　労働をすべて同質的であるという前提も問題にされた．同じ労働といっても技師や支配人といった専門管理職から，職長・親方などの熟練労働，ほとんど技巧を必要としない未熟練労働まで多様であり，質の違いを無視して単純な人数で測ることは正しくないであろう．労働を専門職も含めた熟練労働とその他の未熟練労働とに大別して，

$$\frac{熟練労働投入}{未熟練労働投入}$$

の比率を各国の輸出生産，輸入競争生産について測ると，アメリカは輸出生産のほうが2倍近い比率になる（1960〜61年の数値）．アメリカの輸出は熟練労働集約的ということになる．逆に日本ではこの比率は輸入競争生産のほうが3倍近くも高い．これは当時の貿易パターンの常識に合致している．つまり資本と労働ではなく，熟練労働と未熟練労働の組合せで考えればレオンティエフ逆説は解消してしまう．

日本は天然資源・未熟練労働集約財を輸入し、R&D・熟練労働集約財を輸出する。資本は決め手にならぬ。……常識的結論

R&D → 技術の相違、技術変化（第4章）

表 3-2　日本の輸出・輸入競争生産の要素投入比率

		1970年	1975年	1980年
N_1	農 林 水 産 資 源	0.257	0.151	0.129
N_2	鉱 　 物 　 資 　 源	0.436	0.435	0.402
N_3	石 炭 お よ び 石 油	0.199	0.180	0.141
L_1	専 門 お よ び 管 理 労 働	1.408	0.999	0.962
L_2	事 　 務 　 労 　 働	1.290	1.092	0.991
L_3	生 　 産 　 労 　 働	0.984	1.017	0.836
L_4	サ ー ビ ス 労 働	1.264	1.067	0.968
L_5	自 営 お よ び 家 族 労 働	0.736	0.610	0.338
K	資 　 　 　 　 　 本	1.024	0.931	0.838
RD	研 究 ・ 開 発 活 動	1.688	1.990	1.996

(注)　輸出生産投入/輸入競争生産投入の比率.　N_2には石炭・石油を含まず.　RD は研究開発支出で投入量
を測った.

(出所)　行政管理庁『昭和40, 45, 50年接続産業連関表』およびそれと接合された昭和55年産業連関表を利
用.　資本および研究開発支出のみ関連統計からとった.　アジア経済研究所野原昂氏の計算による.

大小順位は安定的

2財×n要素モデル

《多数生産要素による説明》

　上述の第2，第3の批判を延長して，各種天然資源や各種労働も含めた多数
要素の輸出生産と輸入競争生産への投入量を測って比較してみよう．生産要素
比率理論は元来貿易商品に生産要素がどれだけ体化されているかに注目するか
ら，要素投入量の比較はこの理論を実証するのにかなった方法である．

　表 3-2 は日本の輸出生産，輸入競争生産100万円当りに投入された各種生産
要素の量の比率をとって1970〜80年間について見たものである．天然資源は3
種類に，労働は5種類に分けている．労働の分類はたぶんに職種別分類になっ
ていて，問題があるが，L_5 が未熟練労働に近いものとみなしてよいであろう．
さらに研究開発活動を独立の生産要素として加えた．これは次章で論ずるよう
に今日，各国の比較優位や貿易パターンに大きな影響をもっていると考えられ
ているものである．その測り方がむずかしいが，第1次近似として産業ごとの
研究開発支出で測ってみる．見やすくするために，各要素の輸出/輸入競争生
産投入比率の大小の順に並べてみよう．ただし少数点下2桁目で四捨五入して，
同数値になるものは同じ不等号のなかにくくってある．

　　1970年　　$N_3 < N_1 < N_2 < L_5 < L_3,\ K < L_4,\ L_2 < L_1 < RD$

1975年　N_1，$N_3 < N_2 < L_5 < K < L_1$，$L_3 < L_4$，$L_2 < RD$

1980年　N_1，$N_3 < L_5 < N_2 < L_3$，$K < L_1$，L_4，$L_2 < RD$

ほとんどの数値が10年間に減少しているが，これは輸出生産のほうが要素投入が相対的に節約されたことを表わしている．しかし大小の順序はほぼ安定していることがわかる．日本の輸入はまず第1に，N_3，N_1 集約的であり，ついで N_2，L_5 集約的である．輸出は逆にまず RD 集約的であり，ついで L_2，L_4，L_1 集約的である．K や L_3 はちょうど中間にくる．日本が天然資源や未熟練労働集約財を輸入し，研究・開発活動や各種熟練・半熟練労働集約財を輸出しているというのは，きわめて常識的である．生産要素比率理論がかなりよく日本の貿易パターンに当てはまっているというべきであろう．資本は輸出や輸入競争生産をはっきり区別する投入要素ではないことがわかる．資本と労働のみを考慮したレオンティエフ逆説にあまりこだわるべきではないであろう．

3-3　産業内分業

生産要素比率理論は，別の産業の生産物が要素賦存条件が異なる国のあいだで貿易される現象を最もよく説明できる．そういう場合に比較生産費格差が最も大きくなり，貿易利益も大きいからである．しかし現実には，要素賦存条件が類似した国のあいだで，同一産業の生産物が輸出されると同時に輸入もされる例が少なくない．産業内分業とよばれるものである．これは生産要素比率理論では説明できないので，新しい理論が必要である．以下産業内分業が現在どの程度に進展しているかを明らかにしたうえで，そのメカニズムを見いだしたい．

《水平分業》

同種の商品が輸出されると同時に輸入されることを水平分業とよぶことがある．なかなか人気のある言葉で，しばしば望ましい分業形態という意味を込めて使われているが，定義はあいまいであり，整理の必要がある．

一般には1次産品と工業品の交換を垂直分業とよぶのに対して，工業品の相

表 3-3　水平分業の諸形態

（垂　直　分　業）	１次産品と工業品の交換	
（水　平　分　業）	工業品の相互交換	
	異産業生産物の交換	(A) 需給異
	同一産業・異生産段階品の交換	(B) 需共通
	同一産業内差別化品の交換	(C) 需給共通

互交換を水平分業とよぶようである．貿易利益は輸出特化財の需給条件による．第１次産業と工業とでは需要成長率も違うし，供給側で技術進歩率や雇用吸収率も違う．それにくらべれば工業内部では需給特性も近く，貿易利益がどちらかに大きく偏ることも少ないであろう．

　しかし工業品の相互交換でも表3-3のように(A)〜(C)があり，それぞれの需給条件も同じではない．(A)は労働集約的な消費財と資本・熟練労働集約的な中間財・投資財の交換のように，需要・供給条件とも異なっている．(B)は機械化され，量産化された機械部品生産と労働集約的な組立工程との分担のように，供給条件は異なっているが，需要条件は共通している．これに対して，(C)は差別化された消費財の交換のように需給両条件とも共通している．(C)の水平分業は先進国間で多く見られるが，(A)や(B)の水平分業は資本・労働の賦存条件が異なる，先進国と新興工業国とのあいだで活発である．(A)，(B)の貿易は生産要素比率理論で説明できるが，(C)の産業内分業には新しい理論が必要である．もっとも隣接国間では輸送の便宜上，自国の東部ではある商品を隣国から輸入するが，西部では同一商品を隣国に輸出することもある．現実にはこの種の原因による(C)の水平分業も少なくないであろうが，理論的にはおもしろくない．以下では主として(C)の産業内分業の仕組みを究明したい．

《産業内分業指数》

　産業内分業（intra-industry trade）とは同一産業として規定される同種生産物の相互輸出入を意味する．理論的には，需要の代替弾力性がある値以上の生産物や同じ生産関数をもつ生産物を同一産業に属すると定義できるが，現実にそれを測るには既存の貿易統計分類に依存して，標準国際貿易分類（SITC）や関税協力理事会品目分類（CCCN）の４桁分類を同一産業とみなす

表 3-4 日本の産業内分業指数の推移

	対 ア メ リ カ				対 ア ジ ア NICs			
	1970年	1980年	1990年	1995年	1970年	1980年	1990年	1995年
繊維製品	7.6	15.0	13.8	62.4	30.9	94.8	93.6	89.4
化 学 品	57.1	46.5	61.9	81.1	8.9	39.1	27.6	31.6
鉄　　鋼	5.9	4.5	19.5	28.7	3.7	20.9	55.2	51.7
一般機械	74.5	75.2	46.3	47.2	1.8	6.0	21.3	45.7
電気機械	40.9	45.0	50.5	66.7	15.2	26.5	37.4	40.0
輸送機械	49.7	15.7	8.2	31.5	0.2	4.0	18.9	17.4
精密機械	58.4	38.5	65.4	44.2	7.3	50.0	29.5	43.0

(注)　グルーベル＝ロイド指数．SITC 2桁の産業分類で集計したもの．
(出所)　1970, 80年値は佐々波楊子・小野田欣也「産業内分業と製品差別化」『三田学会雑誌』74巻4号，
　　　1982年8月，1-1表より抜粋．1990, 95年値はアジア経済研究所奥田聰氏の計算．

などの便法にしたがわざるをえない．このような現実の分類上の問題点に留意
したうえで，グルーベルとロイドにしたがって，産業内分業指数を定義しよう．

$$B_i = \frac{(X_i + M_i) - |X_i - M_i|}{X_i + M_i} = 1 - \frac{|X_i - M_i|}{X_i + M_i}$$

i は i 産業を表わし，X と M は特定2国間の輸出と輸入である．分子の輸入
が大小どちらであれ輸出に近いほど，この指数は1に近づき，逆に輸出または
輸入の一方がゼロのときはこの数値はゼロになる．そして一般に商品分類単位
が大きくなるほど，指数値は大きくなる傾向がある．

　表3-4はアメリカとアジアNICsに対する日本の産業内分業指数を，SITC
2桁分類で測っている．産業別，国別で高低が著しいし，1970～95年間での変
化趨勢も著しい．対米では化学品と一般機械，精密機械，電気機械でもともと
高いが，鉄鋼や繊維では低かったものが急上昇してきた．輸送機械も中位の高
さから低下したのが，ふたたび上昇した．他方，対アジアNICsではほとんど
の産業でこの比率が上昇している．繊維はすでに1に近い．鉄鋼，化学，電気
機械，精密機械でも中位に高まった．一般機械や輸送機械でも20％前後に達し
た．対アメリカでも，対アジアNICsでも各産業で産業内分業が進行したと結
論してよいであろう．もっともここでの産業分類が粗いから産業内分業指数値
が過大になる傾向があり，その一部は表3-3の(A), (B)の貿易も含んでいよう．

《代表的需要論》

　なぜ同種商品の相互輸出が活発化するのだろうか．先に述べたように，これは生産要素比率理論では説明できない．リンダー（S. B. Linder）は需要面の製品差別化に着目する．[5] 同種商品といってもデザインや品質など製品差別化が行われており，自国品は輸出していても自国にない差別化品を輸入する．もっともどんな差別化品でも輸入されるわけではない．デザインや品質のすぐれた差別化品なら，若干高価格であっても輸入される．そして国内で大きな需要（代表的需要）がある場合に，市場に密着して生産している多数生産者が競争してすぐれた差別化品を生み出すのである．どのような商品に代表的需要が生まれるかはその国の所得水準ともかかわってくる．所得水準が近似している2国間では代表的需要が重複する程度が大きく，それぞれすぐれた差別化品を相互に供給し合うことになりやすい．他方所得水準がかけ離れている国のあいだでは代表的需要が重複する程度が小さく，差別化品の相互交換もあまり行われず，産業内分業指数も低くなろう．

《合意的分業論》

　関税などで保護された小国市場では，競争が不十分で，多すぎる数の企業が最適規模以下で操業していることが少なくない．差別化商品であるほどこの傾向が大きい．そのような2国の小市場を関税を撤廃して統合すると，競争が激化し，企業数が減少して，平均操業規模が拡大し，生産費が低下する．両国の消費者にとっては価格が低下するとともに選択の幅も増大する（差別化品の場合）という利点が生ずる．

　たとえば2国A，Bがそれぞれ年間10万台ずつの乗用車の国内市場をもっていたとしよう．各国とも五つの企業（五つのブランド）があって，各企業2万台ずつ生産している．しかし最適生産規模は3万台だとすると，各企業とも最適規模以下で，高い平均費用で生産していたことになる（図3-9参照）．いま

---

5)　S. B. Linder, *An Essay on Trade and Transformation*, Wiley, 1961（小島清・山澤逸平訳『国際貿易の新理論』ダイヤモンド社，1964年）．

２国が輸入制限を撤廃し，市場を統合して，２国の消費者がどちらの国の企業の乗用車でも買えるようにしたとしよう．企業間の競争は激化して，四つの企業が敗退して六つの企業だけが残るとしよう．20万台の総需要を６ブランドで割って，各企業とも３万台以上の最適規模生産を実現することになる．ブランド数は２国合計で六つになり，各国の消費者の選択肢も五つから六つに増えたわけである．

この例の場合各国三つずつの企業が残存する結果になるならば，２国とも市場統合で利益を受けるから，それに踏み切る誘因があり，貿易は拡大しよう．もっともつねにそうなる保証はない．A国で４ないし５企業が残存して，B国は２ないし１企業しか残らないと予想される場合は，おそらくB国の生産者が強く反対して，市場統合は実現しないであろう．残存企業の配分に大きな偏りがないと予想される場合にのみ合意が成立しやすい．おそらくそれは同規模，同工業化段階の国のあいだで最も可能性が大きい．市場統合前には両国とも同じコストで生産していたから，貿易の誘因はなかった．市場統合に合意して，規模拡大，価格低下が起こってはじめて貿易の誘因が生まれる．市場統合の合意ではじめて産業内分業が成立するわけで，小島清はこれを合意的分業とよんだ．6)

図 3-9 規模拡大による生産費低下

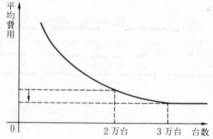

---

6) 小島清『増補 EEC の経済学』日本評論社，1967年．このモデルは収穫逓増下での貿易利益としても知られており，政府助成その他のきっかけでどちらかの国ないしは企業が先に規模拡大に踏み切る結果，生産費低下が生じるとされる．クルーグマン＝オブスフェルト『国際経済』第６章参照．

　西ヨーロッパの6カ国が欧州経済共同体（EEC）を形成し，EEC域内で産業内分業が活発化した基底には，このような合意的分業が働いたと思われる．

　他方，これから工業化を開始する発展途上国では，各自が主要産業，とくに最適生産規模の大きい重工業をそろえることはできない．その場合政府間協定で新産業の配分を決め，市場を相互に開放して，重複投資を避ける試みが行われることがある．ASEAN 5カ国間の共同工業化計画（Common Industrial Project）はそのよい例である．政府間協定による産業の国際間配分は合意的分業のわかりやすいケースだが，実施はなかなかむずかしいのが現実である．

　差別化商品に対する需要は所得水準が高まるほど増大するし，高所得水準国のあいだで代表的需要が重複することが多い．また先進国間ではたがいに貿易自由化を進め，市場競争圧力を強めて，合意的分業を進める動きが見いだされる．これが先進国間で産業内分業が高い理由である．さらに現実には各国間の輸送距離が短いほど貿易は促進される効果が大きいから，近接国間で産業内分業が高まる傾向もある．最近日本とアジアNICsとの産業内分業指数が高まってきたのには，一つにはこれら諸国の所得上昇による代表的需要の重複の増加があり，また一つには近接国間の貿易拡大傾向があろう．

　以上貿易パターンを説明する理論を検討してきた．しかし現在の貿易パターンだけではなく，それがどのように変化していくかも説明できる動態的国際分業論がなければならない．その場合には資本蓄積や技術変化の役割を正当にとり扱わなければならない．それが次章の課題である．

3-4　サービス貿易

　商品貿易と並んでサービス貿易も増大してきたのが今日の国際分業の特徴である．サービス貿易とはどのようなものか．それはどの程度量的に重要か．サービス貿易のパターンはどのように決まるのか．以下ではサービスの多くが商品と同じように国際間で取引されること，すでに商品貿易の40%余に達していること，商品の場合と同じくサービスの生産でも比較生産費原理が適用されて，サービス貿易パターンも同じ手法で分析できることが示されよう．

68

《サービス貿易とはどのようなものか》

かつて商品は国際取引されるが，サービス取引は国内に限られると考えられたことがあった．国際収支表のサービス貿易項目を見れば，さまざまなサービス貿易が記載されている．

　　貨物運輸（運賃，保険，用船料）

　　その他運輸（港湾経費，旅客運輸）

　　旅行（旅行者によるサービス購入）

　　政府サービス（大使館・領事館のサービス購入）

　　その他民間サービス（特許権，著作権，手数料，郵便・電信料金，映
　　　　画・TVフィルム賃貸料，広告料，非居住者のために働いて得た
　　　　賃金・俸給，コンサルタント技術料等）

　　投資収益（借款利子，株式配当等）

これらはいずれも，商品の取引のように所有権が移転することなく，交通・通信手段・施設，金融資産，技術・知識，人間労働等から創出されたサービスを一定期間享受することに対して代価を支払うものである．なおここでは投資収益もサービス貿易に準じて扱っている．

表3-5はこれらのサービス貿易額を各国の国際収支表から合計したものであ

表 3-5　世界におけるサービス貿易の変化

（単位　10億ドル，%）

	1975年 金額（構成比）	1990年 金額（構成比）	1975〜90年 年平均増加率
財 貨 貿 易 受 取	722.7	3264.6	9.4
サービス貿易受取	245.6 （ 100)	1561.4 （ 100)	11.6
貨 物 運 輸	27.9 (11.4)	94.2 （ 6.0)	7.6
そ の 他 運 輸	33.3 (13.6)	129.2 （ 8.2)	8.5
旅 行	43.0 (17.5)	237.3 (15.2)	10.7
その他民間サービス	57.5 (23.4)	255.0 (16.3)	8.5
その他政府サービス	14.4 （ 5.9)	53.6 （ 3.4)	8.2
その他投資収益	45.6 (18.6)	673.9 (43.2)	16.8
その他直接投資収益	13.3 （ 5.4)	68.2 （ 4.4)	10.2
再 投 資 収 益	10.7 （ 4.4)	50.0 （ 3.2)	9.6

（出所）　IMF, *Balance of Payments Yearbook*, 各年版．第2部B表国際取引総括表から算出．

り，サービス貿易の重要性と変化傾向を見ることができる．なおここでは投資
収益もサービス貿易に準じて扱っている．サービス貿易は全体で商品貿易の
47.8%（1990年）だが，その伸び率は年平均11.6%で，商品貿易の平均伸び率
9.4%を凌駕する．個別ではその他投資収益関連が最も大きく，43%を占め，
かつ年平均伸び率も17%とずば抜けている．ついでその他民間サービス，旅行
の順になる．

《サービス貿易の特徴》

　サービスは生産と消費が同時に行われるという特徴があるが，だからといっ
て国際取引が行われないわけではない．生産者ないしは消費者が国際移動する
ことでサービスの国際取引が可能になる．次の表は，生産者・消費者の移動・
非移動によって各種のサービス貿易を分類したものである．

消費者＼生産者	移動なし	移　　動
移 動 な し	（商品貿易） 保険・特許料 郵便・通信	（生産要素移動） 出稼ぎ労働 金融サービス
移　　動	旅行，医療 教育	貨物運輸

　商品貿易の場合は生産者も消費者も移動せずに商品が移動するわけだが，保
険・特許料・郵便・通信サービス等も生産者・消費者のいずれも動かなくとも
国際取引が可能なサービスである．旅行・医療・教育サービス等は生産者は移
動しなくとも消費者のほうが移動してサービスを享受する．他方金融サービス
（投資収益）や出稼ぎ労働等は資本や労働の生産者のほうが移動して，移動し
ない消費者にサービスを提供する．最後に生産者・消費者とも移動するものと
しては貨物運輸があげられよう．

　生産者・消費者の移動・非移動による分類は各種サービスの特徴づけには役
立つが，いずれの組合せもありうることから，商品貿易からサービス貿易を区
別するものとはいえない．今日運輸手段が飛躍的に改善されたとはいえ，特殊
な生鮮食料品のように，生産地に行かなければ消費できない商品もある．商品

70

とサービスの差があるとはいえない.

　もっとも要素移動と密接に関連していることもあって，サービスの国際取引には種々の制約が課されており，サービス貿易のいっそうの拡大を妨げている. GATT ウルグアイ・ラウンド交渉でも新分野の一つとしてサービス貿易が取り上げられたのもこのゆえである.

《サービス貿易パターンの決定因》

　サービスも生産されるものだから，商品貿易の場合と同じく，比較生産費原理を適用することができる. 商品の場合にも，商品によって労働集約的，資本集約的，技術集約的，天然資源集約的と生産方法が異なったように，各種のサービス生産も各種生産要素の集約度によって特徴づけ，その生産要素を相対的に豊富に賦存する国が比較優位をもつと推論できよう. 商品とサービスを合わせた生産活動全体のなかでの比較優位のランクづけもできよう.

　投資サービスが資本集約的であることは自明だが，貨物運輸や電気通信等も船舶や電信施設等の物的資本集約的である. 気候や風景など観光資源に恵まれた国が旅行サービスの輸出国になることは自明だし，特許権，著作権，コンサルタントサービス等は技術・知識の蓄積が大きな国が比較優位をもつと考えられる.

　1990〜95年のわが国の国際収支表から主要サービスの受取・支払比率を計算して，大きい順に並べると，表3-6のようになる.

表 3-6　日本のサービス輸出入比率

サービス項目	1990年	1995年
貨　物　運　賃	1.25	1.01
投　資　収　益	1.23	1.34
港　湾　経　費	0.86	1.05
その他民間サービス	0.54	0.71
手　数　料	0.49	0.63
特　許　権	0.41	0.64
旅　　　行	0.14	0.10

（注）　各項目の（受取額）/（支払額）.
（出所）　日本銀行『国際収支統計月報』各年版.

5年間にわたって，これらの比率は変化したが，1とくらべての大小に現れるサービス輸出入パターンは安定している．日本は金融資本・物的資本集約的なサービスに比較優位をもつが，手数料・特許権・旅行サービス等に比較劣位があることが分かる．これは第2節の商品貿易パターンの決定因に見られた日本の特徴と合致している．

【練習問題】

(1) 第1節冒頭の固定生産係数の場合には図3-1の等生産量曲線はL字型になる．このとき図3-4の契約曲線および図3-5の変形曲線はどのような形になるか．さらに図3-6，図3-7も描いて，可変的投入係数の場合と同じ貿易パターンが導かれることを確かめてみよ．

(2) 図3-3を用いて，どちらかの国が1財に完全特化する場合には，国際間要素価格均等化は完全には実現されないことを確かめよ．

(3) 2国（A，B），2財（食料・衣料），2要素（資本・労働）の生産要素比率モデルで，次の陳述を図解（図示して説明）せよ．ただし食糧生産のほうが資本集約的とする．

   1) 2国は労働人口は同じだが，A国のほうが資本賦存量が大きいとしよう．両国の変形曲線（AA'，BB'）を描け．

   2) 需要条件は同一だとしたら，B国はどちらの財に比較優位をもつか．

   3) 貿易開始後の均衡ではどのような貿易・生産パターンになるか．

   4) B国の賃金・利子比率は貿易開始前にくらべてどう変化するか．

(4) 現実の世界では各国間で1人当り所得は大きく異なっている．これは生産要素比率理論が現実を説明できない証拠になるであろうか．

(5) 2産業の要素集約度順序が逆転する場合には，図3-2の等生産量曲線はどのように交わるか，描いてみよ．また図3-8のように要素集約度曲線が交わる場合には，生産要素価格均等化が成り立たないことを確かめよ．

(6) 次の用語を簡潔に説明せよ．

   1) レオンティエフ逆説

   2) 生産要素価格の国際間均等化

　　3)　代表的需要論

(7)　正誤問題.

　　1)　レオンティエフ逆説からも明らかなように，生産要素比率理論は現実の貿易パターンを説明できない.

　　2)　サービス貿易のパターンは商品貿易と同一の理論で説明できる.

　　3)　発展段階，経済規模等が類似の2国間では貿易自由化の利益はつねに等しい.

(8)　産業内貿易と産業間貿易を対比して，次の問に答えよ.

　　1)　その形態とメカニズムの相違を明確にせよ.

　　2)　貿易利益の生じ方は異なるか.

(9)　日本とアジアの新興工業国とのあいだでは水平分業を推進すべきであるという議論が多い. この場合いかなる内容の水平分業であろうか.

第4章

経済成長・国際投資・技術移転

これまでわれわれは商品貿易だけを対象としてきた．しかし今日，国際分業は商品貿易だけに限られない．資本や労働のような生産要素自体が国際間を移動する．とくに資本の移動，国際投資が活発である．また前章で仮定したのとは違って，生産技術はけっして各国間で同一ではない．ある国は他国にない新商品を生産し，あるいは同じ商品でもより効率的に生産できる．このような技術格差があるだけで比較生産費格差が生まれ，新しい貿易の流れが起こるが，貿易をきっかけとして新技術自体も他国へ移転していく．

このような国際投資や技術移転によって，各国の比較生産費構造は変化し続け，貿易パターンも変わっていく．今日われわれが観察する世界では，このように生産要素の賦存状態も技術水準も変化していき，貿易パターンも年々変わっていく．本章では一時点での貿易パターンだけではなく，貿易パターンの変化を説明する動態的国際分業論を展開しよう．

4-1 経済成長の効果

まず一国内で資本や労働の賦存量が増加したり，技術進歩が起こる経済成長過程で，比較生産費構造と貿易構造とがどのように変化していくかを分析しよう．それに準じて，資本や技術の国際間移動の分析に入っていけるからである．まず資本蓄積の効果から始めよう．労働が増加する場合も同じように分析でき

るが，通常労働だけがふえて，１人当り資本量が減少する場合には経済成長とはよばない．

《資本蓄積の効果》

第３章3-1の２財（食料，衣料）・２要素（資本，労働）モデルにもどろう．図3-4では資本と労働を食料と衣料の生産に配分する仕方を示した．ここで資本量がふえたらどうなるか．

図3-4の縦軸を資本の増加量だけ拡大したボックス・ダイアグラム（図4-1）をつくれば，資本蓄積の効果は容易に見いだせる．食料生産の原点 O_f はそのままとして，衣料生産の原点は O_c から O_c' へ移る．要素価格比率が図3-4の Q_1 点と同じ w で変わらなければ，資本・労働比率も食料生産では k_f，衣料生産では k_c で変わらない．O_f から引いた線分は $O_f Q_1$ の延長で変わらず，O_c' から引く線分は $O_c Q_1$ に平行になり，二つの線分は Q_4 で交わる．これが新しい均衡点である．食料・衣料生産とも同じ要素価格比率 w のもとで最適資本・労働比率を採用しており，しかもすべての資本，労働ともどちらかの生産に投入されて，完全雇用されている．

食料と衣料の生産量はどうなるであろうか．両財の生産量は図4-1で O_f，O_c' からの距離に比例するから，Q_4 点では Q_1 点にくらべて，食料生産は増加し，衣料生産は減少することがわかる．新しい契約曲線はもちろん Q_4 点を通

図 4-1　資本蓄積による生産要素配分効果

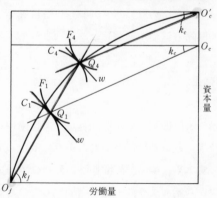

図 4-2　資本蓄積による変形曲線の拡張

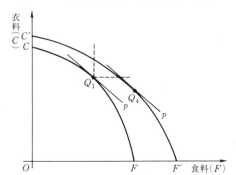

っている．

　新しい契約曲線 $O_fQ_4O'_c$ に対応した変形曲線はどうなるであろうか．図 4-2 では図 3-5 の変形曲線 CQ_1F の外側に新しい変形曲線 $C'Q_4F'$ が描かれている．資本がふえた分だけ食料，衣料の効率的な生産量の組合せは大きくなるからである．要素価格比率が w で変わらなければ，比較生産費も p のままである．そして Q_1 と同じ交易条件線（p）に接する点は Q_1 の東南の方向 Q_4 に移っている．そこでは食料生産は増加し，衣料生産は減少する．すなわち，資本賦存量が増加するとき，要素価格比率と2財の比較生産費が変わらなければ，資本集約的な食料生産量が増加し，労働集約的な衣料生産量は減少する．労働が増加する場合には，その逆に労働集約財の生産が増し，資本集約財の生産が減少する．これを最初に提唱した人の名前をとって，リプチンスキー定理とよぶ．

　これは論理的にも明らかな命題である．食料，衣料生産の資本・労働比率が変わらないかぎり，資本が増加した分も含めて資本，労働を完全雇用するためには，資本・労働比率が高い食料生産をふやし，資本・労働比率が低い衣料生産を減らさなければならないからである．この定理を適用すると工業化の途上にある国が，資本蓄積につれて，資本集約的産業のシェアをふやす，いわゆる重化学工業化することを説明できる．もっともそのような成長過程で要素価格や生産物価格も変化するし，またそのような国では労働が完全雇用されていることは少ないから，厳密にこの定理どおりにはならない．

《成長パターンと貿易偏向》

さてこの国が初め p の交易条件のもとで食料を輸入し，衣料を輸出していたとしよう．つまり図3-7の Q_J と C の関係と同じで，この交易条件では食料の消費は生産を超過し，衣料の生産は消費を超過している．そして

(衣料価格)×(衣料生産－衣料消費)＝(食料価格)×(食料消費－食料生産)

の貿易収支均衡が成り立っている．

いま，経済成長過程で資本，労働が増加するとき，この貿易量はどう変化するだろうか．生産と消費に分けて，経済成長の効果を調べてみよう．生産効果は資本と労働の増加量に応じて次の五つの型に分けられる（表4-1参照）．前述の資本蓄積は(1)の型であり，労働のみ増加する場合は(5)の型になる．輸出品と輸入競争品の国内生産比が変わらない場合が中立的であり，それがふえる場合が順貿易偏向的であり，それが減る場合が逆貿易偏向的である．輸出品の生産比率が減るだけでなく，輸出品の生産が絶対的に減る場合が超逆貿易偏向的であり，逆に輸入競争品の生産比率が減るだけでなく，輸入競争品の生産が絶対的に減少する場合が超順貿易偏向的である（図4-3の左側）．成長前に Q 点で p_1 線に接していた変形曲線と，成長後に外側に平行移動した交易条件線 p_2 との接点がどこにくるかによって，表4-1の五つの型に分かれるのである．

経済成長の消費効果は図4-3の右側に描かれる．成長によって予算制約がより高い交易条件線 p_2 に高まるとき，新しい消費点 C'（消費無差別曲線の接点）がどこにくるかは消費無差別曲線の形状，この場合には所得弾力性によって決まる．2財の所得弾力性が1であれば，C' は C_2 点の位置にくるが，衣料の所得弾力性が1より大きければ（したがって食料の所得弾力性が1より小さ

表 4-1　経済成長の生産・消費効果

	生　　産	消　　費
(1)　食料増加・衣料減少	超逆貿易偏向的	
(2)　食料・衣料とも増加，衣料/食料比減少	逆貿易偏向的	順貿易偏向的
(3)　食料・衣料とも増加，衣料/食料比不変	中　立　的	中　立　的
(4)　食料・衣料とも増加，衣料/食料比増加	順貿易偏向的	逆貿易偏向的
(5)　食料減少・衣料増加	超順貿易偏向的	

図 4-3　成長パターンと貿易偏向

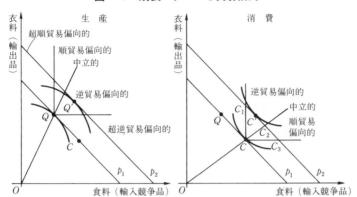

ければ）C_2 より上にくる．その逆に食料の所得弾力性が 1 より大きければ C_2 より下にくる．生産効果と違って消費効果では新消費点が C_1 より上にきたり，C_3 より下にくる場合は例外として除外してよいであろう．C_1 より上にくる場合は食料の所得弾力性がマイナス，すなわち食料が劣等財（所得がふえると消費が減る）であり，C_3 より下にくる場合は衣料が劣等財だからである．C_2 にくる場合は中立的である．そして C_1 と C_2 のあいだにくる場合は消費で衣料/食料比率がふえるから逆貿易偏向的であり，C_2 と C_3 のあいだにくる場合は消費の衣料/食料比率が減るから順貿易偏向的になる（表 4-1 参照）．

　生産効果と消費効果を組み合わせて，経済成長の純貿易効果が見いだされる．Q' と C' がつくる新しい貿易三角形が，成長前の Q と C がつくる貿易三角形にくらべて，成長率以上に大きくなれば順貿易偏向的，成長率並みに大きくなれば中立的，成長率並みに拡大しなければ逆貿易偏向的である．生産効果の五つの型と消費効果の三つの型の組合せを一つ一つ調べるのは煩雑なので，前述の資本蓄積と労働増加の二つの場合のみを調べよう．

　資本蓄積のケースでは，生産効果は超逆貿易偏向的で衣料生産は減少するが，消費効果は食料が劣等財の場合を除けば衣料消費は増加する．したがって，(4-1)式の左辺の衣料の輸出供給は減少し，価格が変化しないかぎり(4-1)式の右辺の食料の輸入需要も減少することになる．すなわち貿易の三角形は縮小し，逆貿易偏向的になる．前述の例を使えば，後発工業国が資本蓄積していくと資

本集約的な重化学工業生産がふえ，その重化学工業品の輸入需要が減少して，貿易を縮小する傾向がある，ということである．

　他方，労働増加のケースでは純貿易効果はややあいまいである．生産効果は超順貿易偏向的で食料生産は減少するが，消費効果は食料が劣等財でないかぎり食料消費はふえるから，(4-1)式の右辺の食料の輸入需要は増加する．貿易の三角形は拡大するが，成長率並みに拡大するかどうかはわからない．

　貿易の三角形が拡大するか縮小するかで，交易条件が不利化するか有利化するかが決まる．貿易相手国が非常に大きい場合を除けば，自国の成長で輸入需要が増減すれば交易条件も変化する．成長が起こる前に貿易が均衡しており，相手国では成長が起こらないとしよう．上の資本蓄積のケースでは輸入需要は減少するから，交易条件は有利化しよう．そしてより大きな貿易利益が得られることになり，経済成長の効果に上積みされる．他方，労働増加の場合には輸入需要は増加するから，交易条件は不利化する．貿易利益は縮小し，経済成長の効果はその分相殺されることになる．

《技術進歩の効果》*

　技術進歩は資本蓄積や労働増加と並んで，経済成長の主要な要因である．そして技術進歩を，同一量の生産により少ない生産要素の投入ですむという生産要素の節約として理解すれば，上述の生産要素の量の増加と同じように分析できる．

　ただし技術進歩の分析では類型化が煩雑になる．2財生産のどちらで生ずるか，ないしは両方で生ずるか．それぞれでどちらの生産要素も節約するか．ここではヒックス（J. R. Hicks）にならって，次の三つに分類しよう．すなわち要素価格比率が変わらない場合に，

　　　最適資本・労働比率が低下すれば，資本節約的
　　　最適資本・労働比率が不変ならば，中立的
　　　最適資本・労働比率が上昇すれば，労働節約的

とよぶのである．たとえば技術進歩で労働，資本の限界生産物が増加しても，労働の限界生産物の増加のほうが大きければ，元の要素価格比率に対応する限

界代替率（MPL/MPK）を回復するには資本・労働比率を引き下げる必要が
あるのが資本節約的技術進歩である．他の二つの場合も同じように解釈できる．
さらに両産業での技術進歩の程度のちがいでも分類して組み合わせると，無数
の組合せになる．いくつかのわかりやすいケースについて説明しよう．

　最も簡単なケースは両産業で同率の中立的技術進歩が生じた場合である．こ
の場合には資本・労働比率も変わらず，図3-2の等生産量曲線の生産量目盛り
を技術進歩率だけ大きく書きかえてやるだけで，生産要素配分や生産量比率は
まったく技術進歩前と異ならない．

　最も興味深いのは輸出産業である衣料生産で中立的技術進歩があった場合で
ある．衣料生産では資本と労働の限界生産物が同率だけ増加するが，衣料価格
が変わらなければ衣料産業では賃金，利子ともに上昇し，資本も労働も食料生
産から衣料生産に流入してこよう．衣料生産のほうが労働集約的だから，労働
のほうがより多く吸収され，資本が相対的にあまり，利子率が低下するであろ
う．資本，労働とも完全雇用されるためには，賃金・利子比率が上昇するのに
応じて食料，衣料生産とも資本・労働比率が高まらなければならない．

　しかし資本，労働の賦存量は一定だから，両産業で資本・労働比率が高まる
には資本，労働とも衣料生産に多く配分され，食料生産の配分が減少しなけれ
ばならない．衣料生産量は配分増加と技術進歩の両方で増大し，食料生産量は
配分減少分だけ減少する．すなわち，この技術進歩の生産効果は超順貿易偏向

図 4-4　技術進歩の効果

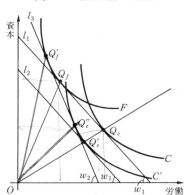

80

的である．

　図4-4は衣料生産での中立的技術進歩の効果を示している．衣料の等生産量曲線は C 線から C' 線へ下方移動したが，同じ要素価格比率 w_1 のもとでは最適生産点は Q'_c で，資本・労働比率も変わらない．しかし2財の交易条件が変わらなければ，C' 線と F 線とは同一生産費，すなわち同一の交易条件線 l_3 に接する点で生産が行われなければならない．要素価格比率は w_2 に騰貴し，資本・労働比率は両産業とも上昇する．

《窮乏化成長》*

　上述の労働増加のケースや輸出産業で中立的技術進歩が生じた場合には，いずれも生産効果は超順貿易偏向的となり，輸入競争品が劣等財でないかぎり，輸入需要は増大して，貿易の三角形は拡大する．この場合交易条件が不利化して，その分だけ成長の効果が相殺される傾向があろう．そして交易条件の不利化の程度が大きいと，成長の効果を上回ってしまって，経済成長が起こる前よりも実質所得水準が低下してしまうことがありうる．これが窮乏化成長である．

　図4-5はこれを描いている．経済成長で変形曲線は CQ_1F から $C'Q_2F'$ に拡張したが，交易条件が p_1 から p_2 に不利化したために，消費点は成長前の C_1 点より下位の C_2 点に低下したものである．

　窮乏化成長の可能性は多くの発展途上国の経済学者の関心を集めた．せっか

図 4-5　窮乏化成長

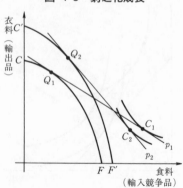

く経済成長を果たしても，現在の貿易システムのもとではむしろ不利になって
しまうという議論である．しかし，窮乏化成長が起こるにはいくつかの条件が
すべて満たされなければならない．まず輸出産業を拡大するような成長でなけ
ればならない．そしてこの国は輸出品の世界市場で大きなシェアをもって，し
かも輸出品の世界需要は価格非弾力的で，交易条件の大幅下落が生ずるのでな
ければならない．特定1次産品の生産で技術進歩が起こって多数輸出国からの
供給が軒並みに増加した場合には，それら諸国の交易条件は不利化しよう．し
かしそれが技術進歩による利益を上回り，窮乏化成長にまでなる可能性は限ら
れているというべきであろう．

《経済成長と天然資源》

　これまでもっぱら労働と資本の2要素モデルで説明してきたが，第3章3-2
で見たように現実の貿易パターンの変化を説明するためには天然資源その他の
生産要素を導入する必要がある．天然資源は経済成長過程で特異な役割を演ず
る．労働や資本の賦存量は増加するが，天然資源は逆に稀少化してくる．とく
に再生不能な天然資源は使用していくほど枯渇してくる．このような天然資源
の稀少化は貿易パターンの変化にどう影響するであろうか．

　図4-6はアメリカの貿易パターンの変化を，天然資源と資本・労働の2要素
モデルで説明している．経済成長過程で資本，労働賦存量は増加したが，天然
資源は増加しなかった．変形曲線は横軸の資本・労働集約財に偏って拡張した．
1875年ころにはアメリカは天然資源集約財の輸出国であって，資本・労働集約
財を輸入していた．しかし100年後の1975年にはすでに資本・労働集約財を輸
出し，天然資源集約財を輸入している．ここでは交易条件の変化はなかったも
のとして描いているが，貿易三角形の逆転が生じていることに留意されたい．
この間に輸出入が均衡する時点があったはずだが，これは1920年ころだと考え
られる．これはあくまで経済成長過程での天然資源稀少化にともなう貿易パタ
ーンの逆転の概念図だが，アメリカ以外にも日本その他多くの国にあてはまる．
次章で説明するように多くの国が貿易開始直後には1次産品輸出の時期を経て
いるのである．

82

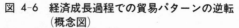

図 4-6 経済成長過程での貿易パターンの逆転
（概念図）

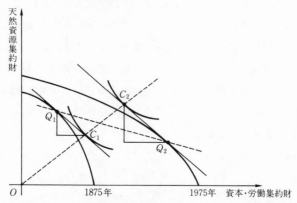

天然資源集約財

O　　　　　1875年　　　　　1975年　資本・労働集約財

（注）　C. P. Kindleberger and P. H. Lindert, *International Economics*,
6th ed., 1978, Richard Irwin Inc., 図4-3 を修正したもの.

《生産要素比率モデルの一般化》

　第3章3-2で見たように，多数要素を導入すれば，生産要素比率モデルの現実説明力は増すが，各生産要素の賦存状態の説明がむずかしい．天然資源の賦存状態はよいとしても，労働熟練や資本，研究開発活動などは人為的なもので，時間とともに変化するからである．ハリー・ジョンソン（Harry G. Johnson）はこれらをすべて資本のいろいろな形態だと説明した.[1] 資本は「生産された生産手段」であって，その生産には費用がかかり，またそれを用いるとより大きな生産が得られる．それが資本のサービスに対価（これまで利子とよんできた）として支払われる．機械や工場設備のような物的資本だけでなく，労働熟練や技術知識（研究開発活動の成果）も資本の一形態と考えてよい．

　このように整理すると，上述の多数要素モデルはふたたび天然資源と未熟練労働と資本（各種の形をとる）のモデルに単純化される．つまり天然資源と未熟練労働は各国に賦存しているが，経済発展の過程で資本が蓄積されていく．その場合国によってどの形態で資本蓄積していくか異なる．日本は主として物

1)　Harry G. Johnson, *Comparative Cost and Commercial Policy Theory for a Developing World Economy* (Wicksell Lecture), Almqvist & Wiksell, 1968.

的資本で，西ドイツは労働熟練の形で，アメリカは技術知識の形で蓄積してきたといわれることがある．このような資本蓄積形態の選択には，各国の政府の政策や企業家の性向も影響していると思われる．

他方経済発展の過程で1人当り所得水準が上昇すると，未熟練労働賃金が上昇する．縫製労働やタクシー運転など熟練度が低く，どこの国でも同じ労働内容なのに，先進国では発展途上国の数倍から十数倍の高賃金になる．つまり先進国ほど未熟練労働が稀少になり，そのため先進国に未熟練労働集約品の輸入ラッシュが起こるのである．

また前項で見たように経済発展とともに天然資源は枯渇していき，稀少化してくる．天然資源集約品は輸入品化する．このように生産要素比率理論を一般化し，動態化すると，各国の貿易パターンの長期的変化を大まかに説明できるのである．

4-2　国際投資

古典派の経済学では生産要素は国内では自由に移動するが，国際間では移動しないと仮定した．だから商品貿易が国際分業論の中心になったのである．ところが現実には，資本も労働も活発に国際間を移動する．19世紀に，ヨーロッパから新大陸諸国への資本，労働の移動は活発であった．今日でも資本の移動，国際投資は商品貿易に劣らず活発である．労働の移動は国ごとの種々の規制で一般には不自由だが，アメリカやEC諸国への周辺の発展途上国からの出稼ぎ労働の流入や，科学者，技術者が研究条件のよいアメリカに移住する「頭脳流出」の経済効果はけっして無視できない．

国際投資の分析では二つの問題に答えなければならない．一つはそれ自体の厚生効果であり，ほかはその商品貿易への影響である．

《資本移動の効果》*

なぜ資本移動が起こるのであろうか．基本的には自国と外国とで利子率格差がある場合に，資本移動が起こる．もっとも第3章3-1で見たように，外国よ

84

り利子率が低ければ，資本集約財の生産の比較生産費が低く，それが輸出する
貿易の誘因となるはずである．つまり商品貿易と資本移動とは同じ原因で起こ
る．2財2要素の生産要素比率モデルを用いて，商品貿易と資本移動の関係を
明らかにしよう．

図 4-7(a) は図 3-2 の 2 財の等生産量曲線図で，労働量一定（L_0）で資本賦
存量が増加する（$K_1 \sim K_4$）ときの資本利子率の変化を調べたものである．自
国が小国であって世界の交易条件，したがって要素価格比率も外から与えられ
ているとしよう．すなわち国際要素価格比率は w_0 であり，食料 1 単位と衣料
1 単位は等価である．労働量が L_0 で資本賦存量が K_2 と K_3 のあいだのときに
は，資本・労働賦存比率は食料生産と衣料生産の最適資本・労働比率の中間に
なり，自国は 2 財をともに生産して，賃金率も利子率も国際水準に等しい．国
際間要素価格均等化が成立しており，さらに資本移動が起こる誘因はない．

このとき資本の限界生産物，すなわち利子率は $1/OA$ である．OA は衣料に
せよ，食料にせよ，1 単位生産するのに投入された資本量と労働量を資本量で
換算して表わしたものであり，OA の資本投入で 1 単位が生産されたから，資
本 1 単位当りの利子率は $1/OA$ である．世界の交易条件は変わらないから，
食料でも衣料でもどちらで測ってもよい．

資本賦存量が K_2 より小さい，たとえば K_1 であれば，資本も労働も完全雇

図 4-7　資本の限界生産物曲線の導出

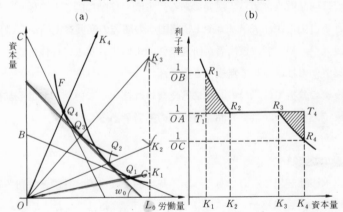

用するには，自国は衣料生産だけに完全特化（Q_1 点で生産）して，その資本・労働比率は K_1/L_0 になる．そこで接する要素価格線は w_0 より緩傾斜になり，縦軸の切片 OB は小さくなる．このときの利子率は $1/OB$ で2財生産していたときより高い．資本賦存量がさらに小さくなると衣料生産の資本・労働比率は小さくなり，利子率は $1/OB$ より大きくなる．逆に資本賦存量が K_3 より大きい，たとえば K_4 であれば，自国は食料生産に完全特化（Q_4 点で生産）して，その資本・労働比率は K_4/L_0 になる．この点で接する要素価格線は急傾斜になって，その縦軸切片 OC は大きくなり，利子率は $1/OC$ になる．これは2財生産していたときより低い．資本賦存量が大きくなるほど利子率は低下する．図 4-7(b) は資本の限界生産物曲線（R_1—R_2—R_3—R_4）を描いたものである．右下がりだが，K_2 と K_3 に対応する R_2 と R_3 のあいだで国際水準に等しく水平になっている．

　この図から資本移動のメカニズムが明らかになる．自国の資本賦存量が K_2 と K_3 のあいだのときは，自国の利子率は国際水準に等しく，資本移動の誘因はない．自国の資本賦存量が K_2 より小さいときには利子率は国際水準より高く，自国へ資本が流入してくる．自国の資本量が K_2 になるまで資本流入は続くであろう．他方自国の資本賦存量が K_3 より大きいときには利子率は国際水準より低く，自国から資本が流出する．流出にともなって資本量が K_3 になるまで，資本流出が続く．いずれの場合も資本移動の結果利子率格差は解消する．

　もっとも2財を生産しているかぎり資本移動が起こらないというわけではない．資本量が K_2 と K_3 のあいだにあって不完全特化の状態でも，貿易が制限されて2財の生産配分が変わり，たとえば食料をより多く生産するとしよう．[2] Q_2，Q_3 点より右側で生産が行われ，要素価格線はより緩傾斜になって，利子率は $1/OA$ より高くなり，資本流入の誘因が生まれる．そして資本流入が進めば利子率格差は解消し，それ以上の貿易誘因は生じない．すなわち初めの貿易制限は不要になる．この意味で貿易と資本移動とは代替的である．

　資本移動によって自国の経済厚生はどうなるであろうか．資本流入で資本量

2）たとえば食料輸入に関税を賦課して，食料の国内価格を割高にする．関税については第6章 6-1 参照．

86

が K_1 から K_2 にふえるとき，自国の生産は限界生産物曲線の下の台形 K_1K_2 R_2R_1 だけ増加する．そのうち長方形 $K_1K_2R_2T_1$ は利子として外国に支払われ，三角形 $T_1R_2R_1$ だけの余剰が残る．これが資本不足国で資本流入した利益である．他方資本流出で国内の資本量を K_4 から K_3 に減らした場合には，国内生産は限界生産物曲線の下の台形 $K_3K_4R_4R_3$ だけ減少するが，それより大きい長方形 $K_3K_4T_4R_3$ だけの利子収入がある．差し引き三角形 $R_4T_4R_3$ だけの厚生増加が残る．すなわち自国の利子率が高い場合には資本を自由に流入させ，自国の利子率が低い場合には資本を自由に流出させると，自国の厚生は増加する．これが自由資本移動論の根拠である．

《資本移動の諸形態》

しかし現実には資本移動と商品貿易とが代替的ではなく，補完的である場合がしばしば観察される．すなわち資本移動と商品貿易が同時に活発化する場合である．一つには貿易が資本・労働賦存比率格差以外の原因で起こる場合であり，その多くは技術格差が原因になっている．これについては次節で検討しよう．もう一つは資本移動の型が違う場合であり，以下に述べる直接投資がこれに該当する．

前項の生産要素比率モデルで扱った資本移動は，外国利子率が高いときに外国に移動し，そこでの資源配分メカニズムに沿って，そこでの技術を利用して，投入される．これは証券投資に最もよく当てはまる．しかし，直接投資にはこれとは異なった行動様式がある．外国に分工場や子会社を設立して，国内と同業種の生産，経営，販売活動を行う．いわゆる企業進出であって，通常経営権をともなっている（日本銀行の海外投資許可統計では，進出先企業の25％以上の株式を所有している場合を「経営権をともなう」とみなしている）．

それはたんに資本だけの移動ではない．中間経営管理者，技術者も派遣されるのが通常である．彼らは企業が成長過程で企業内部に蓄積してきた生産，経営，販売上の技術，知識を体化している．資本，経営，技術のパッケージ移動ととらえるのが正しい．

表4-2は国際収支表から国際投資と技術移転関係の項目を抜き出したもので

表 4-2　日本の国際投資・技術貿易の実績

(単位　億円)

暦年	1992年	1993年	1994年	1995年	1996年
国際投資					
直接投資（対外）	21,916	15,471	18,521	21,286	25,485
直接投資（対日）	3,490	234	908	39	248
証券投資（対外）	43,385	69,552	92,037	80,038	125,227
証券投資（対日）	9,983	▲ 8,068	68,382	49,264	80,087
その他投資（対外）	▲ 60,765	▲ 18,355	36,199	97,891	▲ 4,656
その他投資（対日）	▲ 136,464	▲ 40,867	▲ 10,538	89,305	35,786
投資所得受払					
直接投資収益受取	10,025	9,285	10,011	8,673	15,866
支払	2,394	2,071	1,986	2,393	3,913
証券投資収益受取	61,244	57,217	49,792	53,536	184,379
支払	21,533	21,147	18,628	18,758	140,743
その他投資収益受取	109,058	97,618	97,982	117,935	43,913
支払	110,285	94,682	95,140	116,792	41,319
技術貿易					
特許権使用料受取	3,875	4,296	5,294	5,668	7,257
支払	9,106	7,998	8,476	8,881	10,684

(注)　対外投資は国際投資表の本邦資産純増を，対日投資は対外負債純増をとっている．前者は国際収支表の記載方式では IOU の輸入超過だから負（▲）で表わされ，後者は IOU の輸出超過だから正で表わされている．ここでは対外投資と対日投資の大きさをそのまま表わすように原表とは逆にしてある．したがって対外投資と対日投資の差額は表 3-1 の投資収支と反対になる．

(出所)　日本銀行『国際収支統計月報』1997年 5 月号．

ある．表 1-2 では収支差を中心に見たが，ここでは対外投資と対日投資，資本および技術の所得の受取と支払の両方向の動きをとらえている．

　三つの投資形態はそれぞれ異なった動きを示す．直接投資はもっぱら対外投資が主で，5 年間で着実に増加した．証券投資は金額的には最も大きく，対外・対日投資とも急増傾向にある．その他投資は対外・対日投資ともに変動が激しい．両方とも減少から増加に転じており，金額的にも増加している．

　投資所得の受払は，直接投資は受取り一方で増加，証券投資は金額的にははるかに大きく，受取り超過だが，支払いも急増している．その他投資は受取り，支払いがほぼ同じで受け払い差はきわめて小さい．

　技術貿易は受け払いとも増加傾向だが，支払いがつねに超過している．つまり日本は貿易・投資収益では出超だが，技術貿易ではなお入超である．もっとも後述するように，技術移転は特許権使用料のように独立して記載されるもの

88

表 4-3　日本の対外資産・負債残高

(単位　10億円)

	1995年末	1996年末
対外資産残高	270,738	307,703
対外負債残高	186,666	204,344
純資産	84,072	103,359
（対GNP比）	(17.2%)	(20.4%)

(出所)　日本銀行『国際収支統計月報』1997年4月号.

だけではなく，直接投資にともなって行われるものも多い．これらを組み入れて計算すれば，日本の技術収支も出超に変わるかもしれない．

　国際収支表は1年間の国際取引額を記載するが，資本取引での対外投資（本邦資産純増）および対日投資（対外負債純増）は年々累積されて，対外資産残高と対外負債残高に追加される．1995年末および96年末の値は表4-3のようになる．資産と負債の差をとった純資産額は1995年末には84兆円，1996年末には103兆円に達し，対GNP比では17.2％と20.4％になる．同時期の諸外国の数値とくらべると，円換算して，ドイツは17兆3510億円（1995年末），イギリスは2兆7630億円（1994年末），アメリカは67兆9030億円の純負債である．日本が世界最大の対外資産を保有していることになる．

《直接投資の行動様式》

　なぜ直接投資が行われるのか．直接投資は国境を越えての経営資源（資本・技術・経営のパッケージ）の移動であり，基本的には利潤という形での報酬が低い国から高い国へ移動する．なぜそのような報酬差が生まれるのか．二つの要因に大別できる．一つには経営資源はいわば企業の本体であり，労働や資本や天然資源を組み合わせて生産を行い，それを市場で販売することから市場価格と生産費の差額を利潤として受け取るが，組み合わされるべき生産要素が投資国より受入れ国のほうで割安である場合がまず考えられよう．資源開発投資や低賃金労働を求めての投資はその代表的なものであろうし，工場立地や用水の確保，より緩やかな環境基準を求めての投資もこの類型に入れられよう．

　もう一つの要因は生産物を販売する市場の状態にかかわっている．市場が関

税その他の輸入制限で保護されている場合や，市場での競争圧力が弱く，独占的価格で売れる場合には，その分だけ高い利潤が得られよう．また高い需要成長が見込まれる市場には，市場に密着して生産し，マーケット・シェアを確保することを目的とした直接投資が行われる．この場合には長期間にわたっての安定した利潤獲得を期待するのである．もっとも市場の大きさが適正規模に達しないとか，受入れ国の工業化水準が低く，部品調達などの外部経済が得られない場合などは，直接投資は抑制される．

　これらの要因が国内生産にくらべて現地生産の利潤を高めるが，他方進出企業は現地で現地企業と競争しなければならないから，そのためにはなんらかの経営上の優位がなければならない．上述の生産条件，市場条件は原則的には現地企業も享受するばかりでなく，進出企業は当該市場での経験が浅いなどのハンディ・キャップを負っているからである．現地市場で競争するためには，これらのハンディ・キャップを相殺する以上の経営資源の優位がなければならない．具体的には当該生産物の生産技術，経営管理技術，マーケティングなどについて，独自のR&D活動や，生産販売の経験から生み出される優位であり，それらは企業の成長にともなってつくり出され，企業の経営管理者，技術者に体化された形で蓄積されることも多い．

　1960〜70年代の日本の直接投資は，業種別では鉱業と製造業が中心であった．鉱業投資は資源開発，輸入確保が目的であり，他方製造業投資はそれまでの輸出先の東南アジアやラテンアメリカで，輸入代替促進政策がとられたのに応えて，現地生産することで市場シェアを確保することを目的とした．製造業投資には，当時の日本国内での労働不足，賃金高騰を避けて，低賃金労働が雇用できる発展途上国で生産するという目的もあった．これらは「資源開発型」「市場志向型」「低賃金型」などと直接のきっかけに結びつけて分類されるのだが，いずれの場合にも直接投資の真の動機は，より優れた当該産業特有の経営資源をもつ企業が国内より高い利潤を求めることであるといえる．そして，これはおもに先進国間で観察されるが，同一業種の2国の企業がそれぞれ相手国により高い利潤機会を見いだして，たがいに投資し合う「投資交流」も起こるわけである．

　直接投資の本質が経営資源の移動であって，その動機が利潤率格差であるとすれば，直接投資は経営資源の世界大の最適配分を果たすものであり，自由な直接投資を通じて世界の厚生水準は高められる．しかしこの資源配分効果は具体的にとらえにくいから，直接投資は国際収支効果や雇用効果の形で論じられることが多い．

　1980年代に入って鉱業投資が減って，米欧向けの製造業投資がふえてきた．対先進国製造業投資は対日貿易赤字に対する米欧の批判を柔らげるために輸出から現地生産に切り替えたものである．またアメリカでは1960年代から直接投資によって国際収支赤字が強められるとかアメリカの雇用機会を輸出しているとかの批判が労働組合を中心に根強かった．今日でも製造業直接投資によって製造業雇用が減少するという，「産業空洞化」論が聞かれる．

　しかし直接投資の国際収支効果や雇用効果は未だ明らかにされてはいない．国際収支効果は，まず対外直接投資は国際収支表で赤字要因になるが，その一部は利潤送金で相殺される．さらに現地生産による輸出代替効果がある．しかし進出しなかった場合には現地企業や第三国企業との競合で輸出シェアは縮小していたかもしれないし，完成品の現地生産で原料，中間財の輸出が拡大する傾向があるであろう．

　雇用効果についても，直接投資によって国内投資が減少して雇用が減少することと，現地生産分だけ国内生産・雇用が減少することが指摘される．しかし直接投資のための本社雇用増加があろうし，国際収支効果の場合と同じく現地生産による輸出代替効果は限られているとみなすべきであろう．

　いずれも直接効果のみを追求している難点がある．たとえ直接効果では投資国の輸出減少や雇用減少になっても，受入れ国の所得が増加し，輸入需要増加が誘発されるなら，投資国の付加的な輸出増加と雇用増加がもたらされる．中長期的には間接効果が直接効果を上回って，ネットでは投資国の輸出が増加し，雇用も増大することが考えられる．アメリカの対外直接投資抑制や日本の対米直接投資促進によって貿易収支不均衡が解消したり，アメリカの製造業雇用を維持しうるか否かは，直接効果ばかりでなく，間接的な資源配分効果，とくにアメリカ産業活性化への効果を見通さなければならない．

《多国籍企業の定義》

　直接投資を実行するのは多国籍企業である．多国籍企業の行動様式の解明なしには直接投資の分析はできない．そして多国籍企業は直接投資のみならず商品貿易も含めた国際分業全般にかかわっている．

　多国籍企業には「鉱山，工場，営業所などの資産を複数国において取得，支配しているすべての企業」（国連社会経済理事会報告　1972年）という広い定義が与えられているが，実際には4〜5カ国以上にまたがり，資源ないしは製造業関連の企業で，売上高1億ドル以上の大企業が多国籍企業とよばれている．最近ではこれに多国籍銀行や総合商社を加えてもよいであろう．

　しかし多国籍企業の行動様式はさまざまである．一方では多数国にまたがって営業しても，母国に本拠を置き，母国人のみを雇用し，原料調達も母国品を優先する国民企業そのままの特徴を残しているものもあるが，他方では生産と販売拠点を国境を越えて配置し，最適生産計画を決め，本社もその監督に便利なように立地する，真の多国籍企業がある．後者のタイプはまだ少ないが，多くの企業は初め母国偏重が強くとも海外活動が成熟化してくるにつれて，権限を海外子会社に委譲して，現地人を雇用し，現地の状況に即応した戦略をとらせ，利潤も現地で再投資させるように変わっていく．直接投資の諸効果もどのタイプの多国籍企業が実施するかによって異なろう．

《多国籍企業と企業内貿易》

　多国籍企業は複数の国にまたがって企業活動を行い，しかも複数の国の企業単位を独立の企業としてではなく，一つの企業のなかに統合する．多国籍企業の理論では，これを立地論と内部化理論の二つで説明する．立地論は，多国籍企業はそれぞれの生産・販売活動に適した国を選んで，企業単位を配置（直接投資）するとするもので，すでに第3章で学んだ生産要素比率理論がその適切な配分基準を提供してくれる．他方複数の国に配置した企業単位をなぜ一つの企業に統合するのかを説明するのが内部化理論である．それは同一企業内のほうが工程間分業や製品分業を実施しやすく，生産と販売の連結もつけやすいし，

さらに技術や情報の伝達にも便利だからである.

今日の工業生産は素原料——中間部品——完成品まで多数の生産工程から成り，それぞれに生産条件が異なる．また新製品の開発や多様化した需要に応ずるための製品差別化も進んだ．全種類の全工程を国内で一貫生産する必要はない．子会社や提携企業を利用して各国の生産要素条件や市場条件に合わせて最適な生産配置をしてよい．たとえば労働集約的な組立工程を発展途上国の子会社や提携企業に担当させ，中間部品を輸出して完成品を輸入する貿易パターンを企業内で成立させる（委託加工貿易）．また低価格の標準品の生産を発展途上国の子会社，提携会社に任せて，本社は高級品，差別化品生産に特化する．またアメリカの電気機器企業は日本企業から完成品を輸入して，自分の商標で販売した（OEM, Original Equipment Manufacturing, 方式）．この方式は今日では部品にまで広がって，価格，品質，納期などを契約で定めて，長期的安定供給を受ける方式もふえている．

このような国際分業の展開には生産，経営，販売技術や資本のすみやかな移転が不可欠だが，それは同一企業内，ないしは提携関係にあるからこそ可能になる．また多国籍企業は海外子会社や提携企業を通じて，各国の生産要素条件，技術水準，市場需要の動向，政府の産業・貿易政策措置に関する情報を収集する．国民企業では通常外国についてこの種の情報は限られているが，多国籍企業は自国，外国についての情報にもとづいて上述の国際的生産，販売戦略をとることができる．

このような多国籍企業活動の活発化は企業内貿易という現象を生んだ．すなわち多国籍企業の活動が活発化すると母国の本社と海外子会社のあいだの取引も増大するが，今日の貿易統計では企業内取引も国境を越えて行われる場合には国際貿易として扱われる．アメリカに本拠を置く多国籍企業の本社および在外子会社の輸出総額のうち53.2%は本社と在外子会社間の企業内貿易であり，同じく輸入総額の67.2%は企業内貿易である．企業内貿易比率が高い業種は事務・計算機(87%)，電子部品(73%)，薬品(69%)，輸送機械(66%)である.[3]

3) U. S. Department of Commerce, *U. S. Direct Investments Abroad*, 1977.

　海外事業活動を行っている日本企業の総輸出に占める海外子会社向け輸出は41.1％，総輸入に占める海外子会社からの輸入は30.9％である．業種別では輸出入とも精密機械（輸出53％，輸入38％），電気機械（輸出51％，輸入36％），一般機械（輸出44％，輸入34％），輸送機械（輸出43％，輸入36％）が高い．[4] 日本の調査では分母子で本社が関与しない貿易が除かれているから正確な比較はできないが，アメリカの水準にかなり追いついてきていることがわかる．これらの調査には含まれていないが，独立な企業間の提携にもとづく貿易関係も企業内貿易に準じて扱ってよいであろう．

　伝統的な国際経済学では，貿易は2国のたがいに独立な企業間で行われると暗黙裡に想定してきた．しかし以上見たように，多国籍企業による企業内貿易には，独立企業間の貿易とは異なった行動様式が見いだされるのである．多国籍企業による企業内貿易の拡大は，独立の国民企業間の貿易にくらべて，いっそう国際分業を進展させ，世界大の効率化に貢献する面がある．しかし多国籍企業や企業内貿易には問題点も少なくない．

　前述のように政策情報に通じているから，各国間の租税制度や優遇措置の相違を十分に利用する．法人税が最も低い国に名目的な本拠を移したり（租税回避，tax haven），企業内貿易の輸入価格を実際より低く申告して関税支払いを節約する（移転価格行為，transfer pricing）などである．そもそも多国籍企業の利潤追求論理と国民経済的利害とはつねに一致するとは限らない．多国籍企業が独占ないしは寡占力を行使する可能性がある．また直接投資の国際収支悪化論や国内工業雇用の空洞化論などは両者の追求目的の違いを問題にしている．もっともこれらについてはまだ十分な実証が行われたわけではない．

《直接投資の非経済的影響》

　直接投資は経営資源を体化した人間の移動をともなうために，輸出にくらべて人的要素が強い経済関係であり，政治的，社会的，文化的な影響を無視できない．東南アジアへの日本企業の直接投資の累増にともなって日本のオーバー

---

4)　通商産業省『第4回海外事業活動基本調査（1990年3月）』．

94

プレゼンス批判が起こったのはその適例である.

　直接投資がもたらす人的摩擦の一般的背景として，進出企業がもち込む経営方法や労働慣行が現地のそれと相違していることがあげられる．これは歴史的，文化的伝統を異にする国のあいだでは避けえないことであり，早急には解決できない．しかしその相違を理解し，それを考慮して行動することは，無用の軋轢を避けるために有用であろう.

　また発展途上国では直接投資を外国による経済侵略の一形態とみなす考え方が根強いことも留意すべきである．とくに工業化途上にある国では，鉄鋼業などの主要産業を民族系企業によって掌握しておこうとする欲求はかなり強く，受入れ国政府の命令で経営の委譲を急がされることが多い．その結果，経営の混乱や生産能率の低下という形で高いコストを支払うことになるのだが，強い国民的選好があるのを無視するわけにはいかない．結局多国籍企業に自国内でどれだけ自由に活動させるかは受入れ国政府の権限である．国連貿易開発会議（1972年）も「当該国の国家開発の必要性に従って外国資本が行動することを確保するために必要な措置をとる開発途上国の主権を確認」している.

　多国籍企業にはいろいろな評価がある．しかし各国企業の多国籍企業化，企業内貿易の拡大は現実であり，それが今日の世界経済の活性化に貢献していることは否定できない．他方ボーダーレス・エコノミーといっても，なお国民国家の政府には安全保障・所得・雇用の安定と成長，社会保障，環境保全等の果たすべき役割があり，そのために多国籍企業への課税や規制もまた正当化される面もある．要は多国籍企業の活力を役立て，効率的に国民国家への貢献を引き出すには，政府自体国境を越えた視野をもって，他国政府との協調にもとづいた政策措置が取られなければならない．それが今日なお GATT ウルグアイ・ラウンド交渉での貿易関連投資措置の整備や，地域投資協定の締結の必要が叫ばれている理由である.

4-3　技術移転と貿易変化

　現実の貿易パターンの変化は資本や労働などの生産要素の賦存量の変化より

も，技術革新やその伝播によって起こることが多い．直接投資も資本の移動よりも，生産・経営技術の移転が主体である．ここで技術というのは科学技術知識とは違う．新しい科学技術知識は大学や研究所での基礎研究の結果生まれ（発見，発明），講義や文献を通じて外国にも伝わっていく．本書で取り扱うのはそのような発見・発明を実際の生産活動に適用することであり，その内容は新製品の生産技術から既存の生産技術の改良，経営・管理・販売方法の改善まで含み，その結果利潤を高めるという経済的誘因が技術革新や移転の原動力となる．

　表4-2の技術貿易は日本の技術貿易の量的重要性を測ったものである．直接投資の半分以下だが，これは技術移転の一部しか含まず，過小評価になっていよう．受取り，支払いとも増加しているが，なお支払いが受取りを超過して，大幅な赤字であることに留意されたい．

《技術格差貿易》

　前章で仮定したのとは違って，現実には各国で同一の技術をもっているわけではない．他国がもたない新製品や新生産方法をもっていれば，要素賦存条件が不利でも，それだけで比較優位が生まれ，技術格差貿易が生ずる．しかし貿易が行われているあいだに技術は種々の経路で外国に移転し，格差は縮小していく．要素賦存条件が外国のほうが有利であれば，外国で輸入代替生産する誘因が高まるからである．技術移転の方法には単純な模倣生産から自主開発，使用料を払っての生産技術の習得，さらに輸出国企業による直接投資などいろいろある．そして技術が移転して技術格差が解消すると，要素賦存条件の違いにもとづく貿易，とくに賃金格差貿易になる．

　たとえば1910年代日本は生糸，絹織物の大輸出国であったが，その廉価な代用品としての人絹の製造技術をもたなかったから，西ヨーロッパやアメリカからの人絹糸，織物を輸入していた．しかし1920年代に自主技術開発と技術導入との両方で人絹製造技術を習得してしまうと，それまでの製糸，絹織物技術と低賃金を利用して，1930年代には人絹糸，織物の輸出国に転換した．技術格差貿易から賃金格差貿易に貿易パターンの逆転が起こったわけである．

資本移動と違って，外国へ技術移転しても自国の技術が失われるわけではない．ただ技術格差は失われて，貿易パターンが変わるわけである．後発工業国が技術移転，新産業の移植に成功すると先進国とのあいだで技術格差が解消して，賃金格差貿易へ転換する．他方先進国では技術革新が生み出され，新たな技術格差貿易が起こる．ここでは二つの側面が明らかにされなければならない．一つはどのようにして先進国で技術革新が生み出され続けるのかという，技術先導のメカニズムであり，もう一つは後発国がどのようにして技術移転を行い，先進国に追いついていくかという，追いつきのメカニズムである．

《技術先導のメカニズム》

第2次大戦後はアメリカが終始技術革新を先導してきたといえる．それではなぜアメリカが新製品，新生産工程を連続的に生み出しえたのだろうか．技術革新の流れを生み出すものは研究開発活動（R&D, Research and Development）である．アメリカで研究開発活動が活発だった理由は需要，供給両面から説明できる．需要面ではアメリカが世界で最も高所得水準の主要市場であり，新しい消費財への需要が強かったからであり，同時に労働コストが最も高いために，消費，生産両面で省力化・機器への需要が大きかったためである．そして西ヨーロッパや日本はひたすら，アメリカ的生活様式を模倣してきたのである．供給面では，研究開発活動の中心になる科学者，技術者をアメリカが最も多く擁していた．アメリカの教育が育成したものに加えて，よい研究条件，高い生活水準で優秀な科学者，技術者がアメリカに流入した（頭脳流出）ことにもよる．すなわちアメリカは世界のどの国よりも研究開発活動への需要が大きく，かつそれに応える供給もあったから，研究開発活動が活発であり，その結果技術革新の流れが生み出されたわけである．

技術革新といっても一度に完成された形で生み出されるわけではない．新製品が導入されてから販売量の増加につれて生産技術が完成されていく過程を見てみよう．まず新製品が導入された初期段階では，販売量は増加するが低水準にとどまる．次の成長段階では販売量は急増する．しかしその増加率はやがて逓減し，成熟段階では停滞して横ばいになる．プロダクト・サイクル論はこの

図 4-8　プロダクト・サイクル論

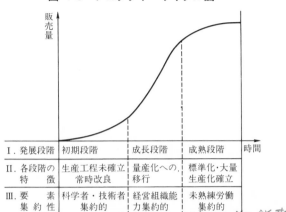

I.発展段階	初期段階	成長段階	成熟段階	時間
II.各段階の特徴	生産工程未確立常時改良	量産化への移行	標準化・大量生産化確立	
III.要素集約性	科学者・技術者集約的	経営組織能力集約的	未熟練労働集約的	

各段階の要素集約度が異なっていることに着目する（図4-8参照）.[5]

　まず初期段階では生産工程は未確立であり，つねに市場の反応を考慮しながら改良が行われる. この段階では生産は科学者・技術者集約的である. 次の成長段階では需要の急増に応えて大量生産，大量流通に移行するため，経営管理能力が最も必要とされる. 第3の成熟段階では生産工程が確立され，安定している. 使用される機械装置も規格化されており，未熟練労働を使っても標準化された製品を供給できるようになる. すなわち1財の生産技術も発展段階で変化するから，特定の国が全段階を通して比較優位をもつことはできない. プロダクト・サイクルの初期段階では科学者・技術者を多く賦存する国が比較優位をもつが，成長段階では経営管理能力を多く賦存する国が比較優位をもち，成熟段階では未熟練労働豊富国がかわってこの財の生産に比較優位をもつ. そして初期段階および成長段階の財の生産はアメリカが比較優位をもって輸出するが，成長段階では西ヨーロッパや日本へ技術移転が起こる. 成熟段階の財の生産は低賃金の発展途上国に移す直接投資が行われる.

　1970年代になって技術先導について新しい状況が現れてきた. 一つはアメリカの技術先導力への懸念である. アメリカの工業貿易収支が顕著に赤字化して

---

5)　R. Vernon, "International Investment and International Trade in the Product Cycle," *Quarterly Journal of Economics*, May 1964.

いることは，アメリカにおいて技術革新を生み出し，技術格差貿易を持続する研究開発活動が衰えたためであり，それが保護主義化を強めていると考えられる．アメリカの「脱工業化」などといわれる現象である．しかし，実態は繊維・鉄鋼などの成熟産業分野での比較劣位化が急速に進みすぎたためで，化学，電子機器などの先端技術分野での研究開発活動は依然として活発であるようである．

　もう一つは分野によっては日本も技術先導役を果たすようになってきていることである．とくに応用技術分野で顕著であって，マイクロ・エレクトロニクスや産業用ロボット，家庭用電子機器の新製品開発や自動車・電子機器組立てにおける品質・工程管理技術の開発がその具体例であり，それが貿易収支黒字傾向を生み出す一つの原因になっている．

《追いつきのメカニズム》

　追いつきの過程は技術の内容で異なる．電子工業のなかの新製品の組立て技術なら短期間の技術指導で容易に習得でき，部品，機械装置が提供されれば，低賃金労働を利して輸出することも可能になる．この場合の追いつき過程は先進国多国籍企業の国際戦略によって決められ，プロダクト・サイクル論で説明されよう．しかし新製品技術をつぎつぎと自力で生み出す電子工業そのもので国際競争力をつけるには，研究開発要素の蓄積が必要だし，短期間では達成されない．産業が輸入代替から輸出化をたどる過程そのものを分析する必要がある．本項の追いつきは産業そのものの移植を対象とする．そのためにはプロダクト・サイクル論では不十分で，日本の追いつき経験から導びかれた雁行形態論を紹介しよう．それは現代の発展途上国の追いつき過程にも適用される．

　日本は欧米の先進国に遅れて工業化を開始したが，近代産業の発展は典型的に，輸入──国内代替生産──輸出化の3段階をたどった．輸入，生産，輸出が時間のずれをおいて山を描くところから，赤松要によって「雁行形態的発展」と名づけられた．[6] 以下では雁行形態論を二つの面で拡張する．第1に輸

---

6)　赤松要「わが国産業発展の雁行形態」『一橋論叢』1956年11月．

出化後の2段階を加え，第2に商品貿易以外に直接投資や技術移転などの役割を位置づけている．

　図4-9(A)は1産業の移植過程における輸入，生産，輸出，内需（＝生産＋輸入－輸出）の4変量の推移を示したものである．ここでは産業の移植過程を導入，輸入代替，輸出成長，成熟，逆輸入の5段階に分けている．

　導入段階は新商品が輸入を通じて導入され，国内需要が徐々に拡大していく過程である．それにともなって模倣または技術導入による国産化が試みられるが，輸入品が質・コストともに優位を保つ．次の輸入代替段階では国内需要の成長が著しく，それに誘発されて国内生産がそれを上回る率で拡大し，徐々に輸入代替化を達成していく．この過程で量産体制が確立して，質の改善，コスト低下が実現する．国内需要の伸びが鈍化して，それを輸出で補って生産拡大が続けられるのが輸出成長段階である．次の成熟段階になると内需も停滞し，輸出も伸び悩んで，これまでの成長要因が消滅して，生産は停滞するにいたる．輸出の伸びの鈍化は後発国の追い上げによるものであり，さらに進むと輸出は減少に転じ，生産も縮小していく．逆に後発国の廉価な輸入品が流入して，国内生産縮小に拍車をかけるのが，最後の逆輸入段階である．

　当該産業の企業による対外直接投資は輸出成長段階に始まる．この時期には直接投資は輸出マーケティングの延長線上にあって，市場シェアの確保ないしは拡大を目指したものであり，直接投資は輸出とともに増加していく．他方成熟段階には，国内市場に見切りをつけて，より有利な生産立地を求めて直接投資が行われるようになり，現地生産が増加するだけ輸出が減少するようになり，対外直接投資増加，輸出減少のパターンになろう．次の段階の逆輸入には，現地子会社・提携先から本社への企業内貿易が増加する．

　図4-9(C)に生産，内需，輸出，輸入の4変量の動きを生産・内需比率1本で表わした産業のライフサイクル曲線を描いてある．この比率は産業の移植過程を追って山型の曲線になるが，この比率の1/2，1，最高値，ふたたび1をそれぞれ境界として，五つの発展段階に区分している．この境界は恣意的だが，上述の5段階にほぼ対応している．

　1産業の発展段階にはこのような5段階が識別できるとしても，どのような

図 4-9　産業の雁行形態的発展

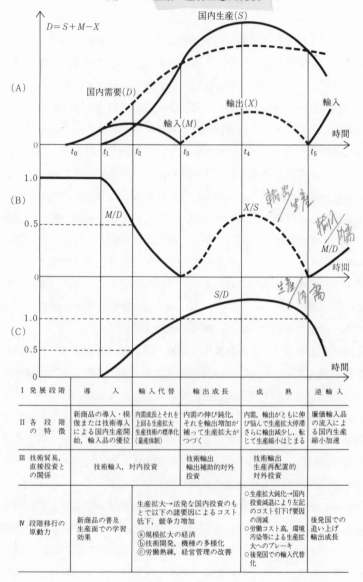

I 発展段階	導　入	輸入代替	輸出成長	成　　熟	逆輸入
II 各　段　階 の　特　徴	新商品の導入・模倣または技術導入による国内生産開始，輸入品の優位	内需成長とそれを上回る生産拡大生産技術の標準化（量産体制）	内需の伸び鈍化，それを輸出増加が補って生産拡大がつづく	内需，輸出がともに伸び悩んで生産拡大停滞さらに輸出減少し，転じて生産縮小がはじまる	廉価輸入品の流入による国内生産縮小加速
III 技術貿易，直接投資との関係	技術輸入，対内投資		技術輸出輸出補助的対外投資	技術輸出生産再配置的対外投資	
IV 段階移行の原動力	新商品の普及生産面での学習効果	生産拡大→活発な国内投資のもとで以下の諸要因によるコスト低下，競争力増加 ⓐ規模拡大の経済 ⓑ技術開発，機種の多様化 ⓒ労働熟練，経営管理の改善		○生産拡大鈍化→国内投資減退により左記のコスト引下げ要因の消滅 ○労働コスト高，環境汚染等による生産拡大へのブレーキ ○後発国での輸入代替化	後発国での追い上げ輸入成長

メカニズムが働いて，各段階を移行していくのであろうか．導入段階では新商品が普及して，国内市場が拡大されるのに誘発されて国内生産がスタートするが，その後は学習効果によって品質・コスト面で改善され，市場シェアを高めていく．次の輸入代替段階と輸出成長段階の2段階の移行を推進するのは内需および輸出の成長と，それにともなって生じたコスト低下，外国品との競争力強化（初めは国内市場，のちに海外市場において）である．それらは具体的には①生産規模拡大の経済，②進んだ技術の採用，③労働熟練・経営管理の改善であり，いずれも生産拡大，設備投資の過程で実現されるものである．

　輸出成長段階から成熟段階への移行を特徴づけるものは内需の伸びが著しく鈍化して停滞にいたることであり，そのもとで国内投資意欲は減退し，これまで続いてきたコスト低下要因は働かなくなってしまう．もっとも安定した輸出増加が見込まれるならば，内需停滞を補って生産拡大が続けられ，成熟段階への移行が遅らされよう．輸出市場の拡大が続くかぎり輸出増加は可能だが，輸出市場で輸入代替化が進むと，輸出自体伸び悩みになり，さらに減退に転ずる．このとき対外直接投資の誘因は最も大きくなる．後発国での外資誘致政策は直接投資誘因をさらに強化するであろう．この段階での直接投資による現地生産は輸出に代替して，当該産業の成熟化をさらに促進しよう．このプロセスはそのまま逆輸入段階につながる．

　第5章で説明するように日本の主要近代産業の多くは雁行形態的発展をたどった．しかし雁行形態的発展の時期，各段階の経過は産業によって大きく異なった．図4-10，図4-11は第2次大戦前の主導産業であった綿業と鉄鋼業の雁行形態的発展を描いている．両産業の代表商品である綿織物と鉄鋼材は開港初期から輸入され，官営の実験工場での国内生産化も1870年代にほぼ同時に行われた．しかし国内生産拡大が軌道に乗ったのは綿糸布は1880年代であるのに，鉄鋼は1900年代に入ってからであった．綿糸布は1910年代に輸入代替を終了して輸出化したのに，鉄鋼では1930年代に輸入代替を終え，本格的な輸出化は1960年代に入ってからであった．

　両産業の日本における追いつき経験を対比しても技術移転が種々の経済的条件によって決められることがわかる．需要要因としては，ある程度の規模の内

図 4-10　綿布の雁行形態的発展

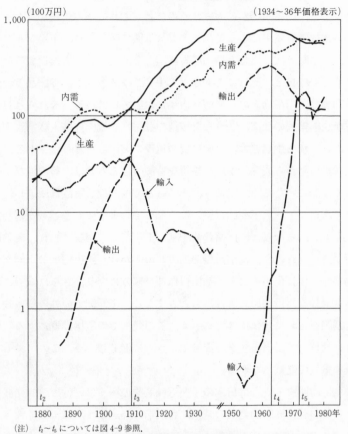

（100万円）　　　　　　　　　　　　　　　　　　（1934～36年価格表示）

（注）　t_2～t_5 については図 4-9 参照.
（出所）　山澤逸平『日本の経済発展と国際分業』東洋経済新報社，1984年.

需が起こり，それが増大していくことである．消費財たる洋式綿糸布への内需
がまず増大して，中間財，資本財の鉄鋼への需要成長は遅れた．供給要因では
紡績・織布技術より製鉄技術のほうが習得がむずかしく，時間がかかった．生
産要素集約度も鉄鋼業のほうが資本集約的で，資本割高期に導入しても比較優
位をもてなかった．さらに資本や生産・経営技術者が限られているときに，す
べての産業を同時に始められなかった．政府の保護育成政策も大きな役割をも
つ．綿業が主として民間企業グループの自助努力で発展しえたのに対して，鉄

図 4-11 鋼材の雁行形態的発展

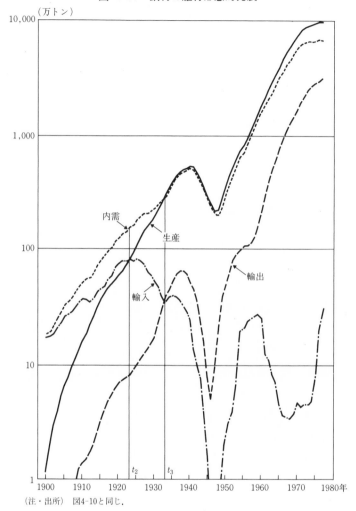

（万トン）

内需

生産

輸入

輸出

t_2　t_3

1900　1910　1920　1930　1940　1950　1960　1970　1980年

（注・出所）　図4-10と同じ.

鋼業では官営製鉄所というビッグ・プッシュが必要であった.[7]

今日の発展途上国の追いつきは日本とは違った条件下にある．技術格差も大きく，必要資本額も大きいが，他方多国籍企業の活動により直接投資も活発であるし，援助や商業銀行借款による資本流入も大きい．発展途上国の成長はかなり加速化されていて内需成長も大きいが，国際市場では競争相手も多く，保護措置も多くて輸出競争はきびしい．このような環境変化のなかで，近代産業の追いつき発展は日本とは違った特徴をもつ．しかし輸入——国内生産——輸出化の雁行形態的発展は依然として発展途上国における合理的な追いつき過程の分析枠組みとして有効である.[8]

【練習問題】

(1) 図4-4を修正して，衣料産業で労働節約的技術進歩と資本節約的技術進歩が起こった場合の効果を明らかにし，比較せよ．

(2) 窮乏化成長が起こるとしたら，どのような国のどのような産業で起こるだろうか．具体的ケースについて調べてみよう．

(3) 外国の利子率が高い場合，一国全体としては自由に資本を流出させたほうがよいが，国内の所得分配は労働所得に不利化することを確かめよ．逆に資本流入は資本所得の不利になることも確かめよ．

(4) 次の対句の異同（類似点と相違点）を明らかにせよ．

1) 企業内貿易と産業内貿易

2) 順貿易偏向と逆貿易偏向

3) 雁行形態論とプロダクト・サイクル論

(5) アルミニウムや大型ジェット旅客機はこれまで一貫して日本の輸入品であった．なぜこれらの産業では雁行形態的発展ができなかったのだろうか．

(6) 日本銀行『国際収支統計月報』，通商産業省『海外事業活動基本調査』，

---

7) 両産業の発展過程の説明は山澤逸平『日本の経済発展と国際分業』東洋経済新報社，1984年，第4，5章を参照されたい．

8) 雁行形態的発展を通じた日本の産業構造変化については，第5章5-2で，現代の発展途上国の工業品輸出化については，第5章5-3でより詳しく述べる．

同『わが国における外国企業の活動調査』を調べて，最近の資本移動の動向を分析せよ．

(7)　省力化技術（たとえば自動衣料縫製機器など）についても技術格差貿易から賃金格差貿易への転換が起こるだろうか．

(8)　日本の技術貿易も商品貿易や資本サービス貿易(利子・投資収益の流れ)と同じく将来黒字化するであろうか．そのためにはどのような条件が満たされなければならないか．

(9)　正誤問題．

    1)　企業内貿易の活発化は国際分業の発展に弊害をもたらす．

    2)　資本移動は資本集約財の貿易と相互に代替的である．

    3)　外国直接投資によって国内の雇用機会が失われ，産業空洞化が生ずる．

    4)　多国籍企業は先進国が発展途上国の富を吸い上げるパイプにほかならない．

(10)　国民国家と多国籍企業とのあいだの関係はどうあるべきだろうか．あなたの考えをまとめてみよ．

国際分業と経済成長

　貿易は日本の経済成長過程でどのような役割を果たしたか．これは国際経済学を勉強する者にとって魅力的な課題である．日本の近代経済成長は19世紀半ばに欧米諸国との貿易を通じてはじめて実現しえた．日本の成長は欧米先進諸国への急速な追いつき過程をたどり，貿易はつねにその駆動の役割を果たしてきた．そこには通常国際経済学の教科書では十分にカバーされない貿易の動態的利益の実例が多く含まれている．

　前章では経済成長が貿易に影響する仕方を分析したが，逆に貿易が経済成長に影響する事例も少なくない．経済成長と貿易とは相促関係にある．以下1次産品輸出を通ずる経済成長の離陸，貿易構造と産業構造変化の相互関連，発展途上国の追いつき工業化の三つの事例について調べてみよう．

5-1　1次産品輸出と経済成長の離陸

　外国貿易が経済成長への離陸のきっかけとなる例は少なくない．19世紀の新大陸諸国におけるステープル論はそのよく知られた例である．日本の経済成長への離陸に際して，生糸輸出もまた同じような役割を果たしたようにいわれる．経済成長への離陸に際して貿易が果たす役割を調べてみよう．

輸出 ｛ 生糸輸出… $\frac{1}{3}$
　　　その他輸出… $\frac{1}{3}$
　　　流出… $\frac{1}{3}$

《ステープル論と余剰はけ口論》

　19世紀にアメリカ，カナダなどの新大陸諸国では，産出する綿花，小麦など
のヨーロッパ大陸への輸出開始が追加的な資本と労働の流入を誘い，輸出生産
を拡大するとともに，増大した人口を支える消費財工業を勃興させ，さらに中
間財・投資財工業生産を誘発した．その地域で産出する1次産品（staples）
に対する外国需要が，それに応える輸出成長を通じて人口稀薄な新開国に経済
成長を生じさせたと説明するのがステープル論（staples theory）である．こ
こでは貿易は「成長のエンジン」の役割を果たしたといわれる．

　しかし外国需要に応えて1次産品輸出を拡大すればつねに経済成長の離陸に
導かれるとは限らない．同じ時期における東南アジアからの米やゴム，錫の輸
出は持続的な経済成長を引き起こさなかった．これらの比較的人口密度の低い
地域では，土地も含めて当該1次産品を生産する天然資源が豊富に賦存してい
たが，貿易開始前には小さな国内需要を満たすだけで，多くは未利用のまま放
置されていた．貿易が開始されて，外国の需要に応えて輸出されるようになる
と，資本や労働が投入されて輸出向け生産は拡大したが，それはあくまで未利
用資源を使いつくすまでの当該1次産品生産の量的拡大にとどまって，東南ア
ジアには持続的な経済成長は生じなかった．貿易はたんに「余剰のはけ口」と
しかならなかったと説明するのが余剰はけ口論（vent-for-surplus theory）で
ある．1次産品輸出が持続的な経済成長につながるか否かは，その地域の資源
賦存状況と当該1次産品生産の特徴に依存する．同じ貿易機会を与えられても，
国内対応はけっして同じではない．貿易はつねに「成長のエンジン」ではなく，
それを手助けする「成長の待女」と考えるのが正しい．

《日本の生糸輸出の役割》

　日本でも1858年に貿易が開始されると，生糸，茶，石炭，銅などの1次産品
輸出が活発に行われ，輸出向け国内生産が拡大した．生糸は輸出金額が大きか
ったことからも，長期間拡大し続けたことからも，このなかで最も重要な商品
であった．それが持続的な経済成長の先駆けとなったことから，生糸輸出を日

本のステープル輸出とみなすこともできる．

　事実，日本の生糸輸出は，次のような点でステープル輸出の特徴を備えていた．①生糸は資源賦存に乏しい日本が自国内で生み出しうる数少ない特産品であった．②絹は贅沢品で国内需要は限られていたから，日本の生糸生産の大きな割合は輸出向けであった．そして日本の生糸輸出はヨーロッパの蚕病やアメリカの絹織物業の発展という有利な国際市場環境に恵まれた．③生糸輸出は外貨の主要供給源として発展の初期の必要輸入をまかなった．初めの30年間生糸輸出だけで輸出総額の1/3を占めた．

　他方，日本の生糸輸出は余剰はけ口論とは異なる．製糸業の拡大につれて，その原料の繭を生産する養蚕業も拡大したが，それはけっして他に用途のない遊休土地，労働を利用したのではなかった．桑栽培の土地利用でも，養蚕労働の雇用でも，麦作と競合したからである．

　しかし上述の①〜③を仔細に検討すると，ステープル論と合致しない点がいくつかでてくる．㋑主要な輸出先となったアメリカ市場でも，中国やイタリア，フランスなどと競合してシェアを拡大していったのであり，さらに供給価格を引き下げてアメリカの輸入需要そのものを拡大したのであって，けっして外国の需要成長に恵まれたからだけではない．㋺当時すでに人口密度の高かった日本では未利用の資源は少なく，既成の麦作農業と競合した．このような資源制約を養蚕業，製糸業双方での技術進歩と労働強化で補って輸出供給を拡大した．㋩たしかに外貨稼得効果は大きかったが，それが贅沢品消費財であり，その生産が小規模で半ば伝統的技術に立脚していたために，他の産業の発展を誘発し，経済成長を離陸させる効果は限られていた．

　貿易を通じて需要が拡大すると，生産規模の拡大の過程で技術進歩と生産性上昇が実現される．これは貿易の動態的利益として早くから指摘されていた．㋑の日本の生糸輸出シェアの拡大にはこの効果が強く現れている．これは産業の雁行形態的発展を成功させる主要メカニズムと共通している．大きな外貨稼得効果と資源制約下での技術進歩，生産性上昇の特徴を重視すると，日本の生糸輸出はむしろ後述（本章第3節）の「輸出志向的工業化戦略」の先駆ともみなしうる．[1]

5-2 貿易構造と産業構造

貿易と成長の強い相促関係は後発国の追いつき工業化の過程に見いだされる．日本の経験はその成功例を提供する．

《日本の成長経験》

まず日本の経済成長過程において商品輸出，輸入とも急速に増大したことが指摘される．第2次大戦までの65年間（1874～1939年）に，輸出は平均年率6.8％，輸入は5.8％で増加した．第2次大戦後の20年間（1951～70年）には輸出は17.2％，輸入は14.8％の平均増加率であった．これは同期間の世界貿易の増加率8.5％とくらべて約2倍強である．とくに世界貿易が停滞ないしは縮小した両大戦間期間でも日本の輸出が高成長を持続したことは特徴的である（表5-1 参照）．

表 5-1 経済成長と貿易の拡大

(A) 貿易の増加率（％）

	輸　　出	輸　　入	世 界 貿 易
I～XIII　　（1874～1939年）	6.8	5.8	―
III～VII　　（1882～1911年）	7.2	7.9	3.1
XI～XIII　　（両大戦間期）	6.6	2.3	−0.9
XIV～XVII　（1951～1970年）	17.2	14.8	8.5
XVIII～XIX　（1971～1980年）	8.9	3.0	7.1

(B) 輸出・輸入比率（対GNP比）

	輸出比率（％）	輸入比率（％）
1887～1896年	3.2	6.0
1907～1916年	9.2	13.6
1930～1939年	16.1	18.2
1955～1960年	6.0	6.8
1975～1980年	13.0	8.7

（出所）　山澤逸平『日本の経済発展と国際分業』東洋経済新報社，1984年.

---

1)　本項の議論の詳細については，山澤逸平『日本の経済発展と国際分業』東洋経済新報社，1984年，第3章参照.

　この間に輸出入の対GNP比も急上昇した．外国貿易比率（輸出・輸入額合計の対GNP比）は1890年頃の9.2%から1930年代には34.3%に上昇した．近代経済成長過程での外国貿易比率の上昇は西ヨーロッパ諸国で一般に見いだされる．イギリスは19世紀初めの14%程度から第1次大戦前（1909〜13年）の43.5%へ上昇した．フランスは1820年代の10%程度から1908〜10年の35.2%へ，ドイツは1840年の13%から1910〜13年の38.3%に上昇した．初期のレベルも到達レベルも日本とほぼ等しい．ただ日本はこれらの諸国に50〜150年遅れて近代経済成長を開始したが，両大戦間期に他の諸国で貿易が停滞ないしは縮小したときにも上昇を持続して，1930年代にこれら諸国とほぼ近いレベルに到達したものである．日本のGNPの成長率自体が他の先進国に比較して高かったが，それを上回る，かなり高い貿易増大，とくに輸出成長があったことに特徴がある．この急速な貿易拡大が日本の経済成長でどのような役割を担ったのか．

　貿易量が急速に増大するとともに貿易構造も顕著に変化した．表5-2を見ると，輸出商品構成が約100年間にすっかり変わったことがわかる．初めは生糸，銅，茶，水産物，石炭などの1次産品だけで80%以上を占めたが，1930年代には20%まで縮小している．このうち生糸は初めの30年間は主導的輸出品であって，単独で輸出総額の1/4以上を占めた．

　1900年ころから工業品，とくに綿製品などの繊維，食料，雑貨などのいわゆる軽工業品（表5-2の(4)欄マイナス(6)欄）の輸出が急増し，第2次大戦までの40年間主導的輸出品となった．他方，第1次大戦ころから化学，金属，機械のいわゆる重工業品の輸出が本格的に始まったが，軽工業品にかわって輸出の主役となるのは1950年代後半からである．1970年代末にはそのシェアは87%にも高まった．

　表5-3には輸入商品構成変化が示されている．初め90%が工業品輸入であったのが漸減して，第1次大戦頃までに50%を割った．かわりに1次産品輸入が増大して，第2次大戦直前に60%，第2次大戦後に70%台にまで増大した．100年間で工業品輸入国から1次産品輸入国へ完全に切り替わった．しかし，工業品，1次産品それぞれの内部での変化がまた重要である．工業品では，軽工業品が初め輸入全体の70%を占めたのが，以後急減して，両大戦間期には10%台

表 5-2　輸出の商品構成

（単位　当年価格，%）

期　　　間	1　次　産　品			工　業　品		
	(1)	生　糸 (2)	銅　塊 (3)	(4)	繊 維 品 (5)	化学品・金属品・機械 (6)
I　1874〜83年	82.4	37.7	2.2	17.6	4.4	5.9
II　1877〜86	79.4	36.8	3.1	20.6	6.1	6.7
III　1882〜91	74.9	36.8	5.1	25.1	8.8	7.2
IV　1887〜96	65.5	34.1	5.1	34.5	14.8	8.3
V　1892〜1901	55.1	29.3	4.8	44.9	23.3	8.2
VI　1897〜1906	47.7	26.2	4.9	52.3	27.4	9.0
VII　1902〜11	45.2	26.2	4.9	54.8	27.7	12.6
VIII　1907〜16	41.8	24.6	4.9	58.2	28.9	12.5
IX　1912〜21	34.2	22.6	2.6	65.8	33.8	16.7
X　1917〜26	36.5	28.4	0.8	63.5	35.2	14.3
XI　1922〜31	38.5	31.7	0	61.5	34.1	12.8
XII　1927〜36	27.2	20.5	0	52.8	36.3	19.7
XIII　1930〜39	19.9	13.1	0	80.1	35.0	26.5
XIV　1951〜55	4.7			95.3	39.5	39.9
XV　1956〜60	4.5			95.5	32.0	45.1
XVI　1961〜65	3.5			96.5	21.3	58.6
XVII　1966〜70	1.7			98.3	13.7	71.2
XVIII　1971〜75	1.4			98.5	7.4	82.9
XIX　1976〜80	0.9			99.1	4.7	87.1

（注）　当年価格表示の重複10カ年平均値から計算した構成比．欄(4)の中には(5)，(6)のほかにも食料品，雑品，窯業品，木製品が含まれる．

（出所）　山澤，前掲書，表1-3.

になった．これに対して重工業品輸入のシェアは第1次大戦期まで増加し，第2次大戦前でも30%近くを占めた．

他方1次産品輸入増加の中心は素原料輸入である．第2次大戦前は繊維産業の拡大に応じて，繊維原料輸入だけで原料輸入の3/4，全輸入の1/3〜1/4を占めた．しかし鉄鋼業など重化学工業の発展に応じて，鉄鉱石，石炭などの鉱産物輸入が1930年代から比重を増し，1950年代後半からは原料輸入の中心になった．第2次大戦後はとくに石油輸入の急増が目立つ．素原料輸入の比重は初めの1%未満から徐々に増加して，両大戦間期に16〜19%に達した．第2次大戦後は，1955年以降12〜14%水準である．

表 5-3　輸入の商品構成

(単位　当年価格, %)

期　　　間	工 業 品			1 次 産 品					
		その他工業品	化学品・金属品・機械		素食料		素 原 料		
							繊 維 原 料	金 属 原 料	鉱物性燃 料
	(1)	(2)	(3)	(4)	(5)	(6)	(7)	(8)	(9)
I　1874〜83年	91.2	69.9	21.3	8.8	0.7	8.1	0.7		5.0
II　1877〜86	89.7	68.4	21.3	10.3	0.8	9.5	1.6		6.1
III　1882〜91	81.3	54.7	26.6	18.7	5.0	13.7	5.8		6.4
IV　1887〜96	71.8	42.8	29.0	28.2	7.1	21.1	14.8		4.9
V　1892〜1901	63.6	31.0	32.6	36.5	9.9	26.6	20.8	0.1	4.4
VI　1897〜1906	56.9	24.1	32.8	43.1	13.8	29.3	22.9	0.1	4.6
VII　1902〜11	54.8	20.5	32.3	46.2	12.5	32.7	25.9	0.2	3.9
VIII　1907〜16	50.0	15.6	34.4	50.0	10.3	39.7	32.6	0.7	2.7
IX　1912〜21	47.4	12.1	35.3	52.6	12.5	40.1	32.4	1.0	2.2
X　1917〜26	45.7	14.9	30.8	54.3	16.1	38.2	29.5	0.8	2.9
XI　1922〜31	43.4	17.1	26.3	56.6	18.8	37.8	27.1	0.8	4.3
XII　1927〜36	39.0	13.8	25.2	61.0	19.0	42.0	28.6	1.4	5.9
XIII　1930〜39	42.0	12.3	29.7	58.0	17.5	40.5	25.1	2.6	7.4
XIV　1951〜55	14.4	4.0	10.4	85.6	25.0	60.6	27.6	6.8	11.0
XV　1956〜60	23.3	3.6	19.7	76.7	13.2	63.5	19.3	13.8	15.7
XVI　1961〜65	27.7	5.5	22.2	72.3	13.5	58.8	12.6	13.0	18.3
XVII　1966〜70	30.3	7.0	23.3	69.7	12.8	56.9	6.9	13.6	20.4
XVIII　1971〜75	27.2	9.5	17.7	72.8	14.7	58.1	3.8	9.2	33.9
XIX　1976〜80	25.2	8.9	16.3	75.5	14.3	61.2	2.3	6.4	44.2

(注)　(1)+(4)=100.0, (2)+(3)=(1), (5)+(6)=(4)であるが, (7)+(8)+(9)<(6)である. その差はその他農産原料, 林産物, その他鉱産原料であり, その合計シェアは第 2 次大戦後は15%に達する.
(出所)　山澤, 前掲書, 表1-4.

　さらに工業品を 8 区分して, 輸出, 輸入と生産の構成変化がどう対応しているかを調べよう. 相対価格の変化の影響を除くために, 不変価格表示系列から構成比を計算した. 図 5-1 はこれを図示したもので, 下から在来的部門, 近代的軽工業部門, 重化学工業部門の順に重ねて, シェアの変化が面積の拡大, 縮小に現われるようにしてある.

　工業生産構造の変化で顕著なのは食料品, 木製品, 雑製品シェアの低下であり, 初期にはそのかわりに繊維生産が拡大した. しかし1900年頃 (VI〜VIII期) から化学, 金属, 機械の重化学工業部門が伸び始め, 第 1 次大戦後にこの動きは本格化した. 第 2 次大戦後は, 直後のゆり戻しを除けばこの部門の拡大傾向

図 5-1　工業品輸入・生産・輸出の構成比変化

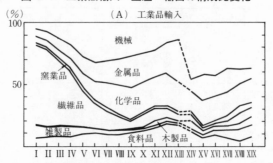

（A）工業品輸入

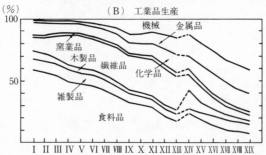

（B）工業品生産

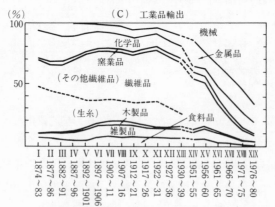

（C）工業品輸出

（注）　不変価格表示系列の重複10カ年平均値（第2次大戦後は連続
　　　する5カ年平均値）から計算した構成比（%）．
　　　　なお，この資料の分類では繊維品，とくに第2次大戦前の繊
　　　維輸出のなかには生糸が含まれている．第2次大戦後は生糸
　　　のシェアは小さい．
（出所）　山澤，前掲書，図1-2.

はいっそう強まった．なかでも機械のシェアの拡大は著しく，1970年代後半に化学品，金属品の素材生産は伸び悩んだのに，機械類の組立て生産が伸びた．

これに対して輸入構造の変化はもっと顕著だった．繊維品シェアは初期の66％から第1次大戦前（Ⅷ期）の11％水準に急激に縮小し，1960年代前半には2％まで下がった．雑製品もシェアこそ小さいが，繊維品と同じ傾向をたどった．かわりに化学，金属，機械の合計シェアが急拡大し，第1次大戦期（Ⅸ期）までに80％に達した．その後は両大戦間期と第2次大戦後の高度成長期（1955年以降）は減少傾向であった．高度成長期にはかわりに木製品，雑貨，窯業品，繊維品のシェアが拡大傾向にある．

輸出構造の変化は輸入，生産にくらべると第1次大戦前は目立たない．1920年代まではあまり変化しなかった．繊維品が50％台で変わらず，初期に化学品，金属のシェアが縮小し，木製品，食料品，雑製品のシェアが漸増した程度である．しかし繊維品の中身は大きく変わった．1900年代の初めまで(Ⅰ 〜Ⅵ期間)に生糸のシェアは38.1％から19.2％へ，その他繊維品シェアは21.5％から40％へ入れかわった．しかし両大戦間期から第2次大戦後にかけて顕著な変化が生じた．今度は繊維品（生糸以外）シェアが急速に縮小して化学，金属，機械の合計シェアがそれに入れかわった．

このように工業品の生産，輸出，輸入のそれぞれで，繊維品（生糸を除く）を中心とする軽工業品シェア増大と，化学，金属，機械の重化学工業品シェア増大との二つの大きな構造変化があって，それぞれが輸入，生産，輸出の順に時間のずれをおいて起こった．小島清はこれを輸入先行的構造変動と名づけている．[2]

図5-2は図5-1と同じ資料を用いて，繊維と化学，金属，機械について，輸入/内需比率と輸出/生産比率を算出して，その趨勢変化を描いたものである．図4-9(B)と同じで，輸入/内需比率が低下すれば輸入代替化が進行したとみなし，輸出/生産比率が上昇すれば輸出化が進んだとみなしてよい．図5-2から二つの主要部門の雁行形態的発展の段階区分ができる．繊維産業の輸入代替段

---

2)　小島清『日本貿易と経済発展』国元書房，1958年，第2章．

図 5-2　2主要部門の輸入依存度と輸出/生産比率

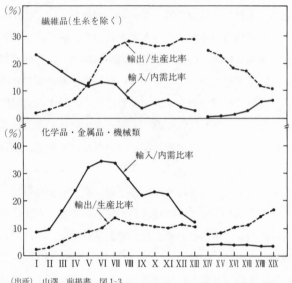

（出所）　山澤，前掲書，図1-3.

階はⅠ～Ⅴ期であり，Ⅴ期（1890年代）以降が輸出化段階である．他方化学，金属，機械の輸入/内需比率はⅤ～Ⅵ期まで上昇しており，Ⅶ期（1900年代）以降急速に低下した．第2次大戦後は輸出/生産比率が輸入/内需比率を上回っている．1900年ころから第2次大戦までを重化学工業の輸入代替段階，第2次大戦後を輸出化段階とみなせよう．

　つまり100年間の日本の工業化成長は繊維を中心とした軽工業と化学，金属，機械の重化学工業の雁行形態的発展が40～50年のずれをおいて起こったという形でまとめられよう．

《産業構造多様化のメカニズム》

　図5-2の繊維と重化学工業の雁行形態的発展のなかには，多数の個別産業の，それぞれ時間のずれを置いた雁行形態的発展が含まれている．諸産業の雁行形態的発展の結果，全体として産業構造の多様化，ないしはそのほかでもより資本集約的，技術集約的産業の比重が高まるという意味での高度化が実現してきたわけである．

　多数産業の雁行形態的発展を比較するために，図4-9(C) の S/D 曲線を用い
よう．図5-3は綿製品，鋼材，自動車，一般機械について S/D 曲線を同一図
上に重ね合わせて描いたものである．労働集約的軽工業の発展過程は綿製品で
代表されるし，化学染料，化学肥料，繊維機械などの雁行形態的発展は鋼材の
S/D 曲線に重なる．自動車や一般機械は第2次大戦後輸出化に転じた諸産業
を代表する．

　生産開始から輸入代替化，輸出化に要する年数（S/D 曲線の勾配）は産業
間で異なるが，それにはいろいろな要因が影響している．まず内需成長率が高
いほど年数は短くなる傾向がある．また技術習得がむずかしいほど必要年数は
長くなり，規模経済が得られやすいものは短くてすむ．このような観察は図
4-9 の段階移行のメカニズムの説明に合致している．

　図5-3で左から右へ，たとえば10年ごとに垂直線で切っていくと，どの産業
群が輸出段階に達し，どの産業群が輸入代替段階にとどまっていたかがわかる．
右へ進むほど産業構造，輸出構造が多様化した．そして日本では個々の産業が
逐次輸出化を達成する一方，逆輸入化した産業が少なかった結果，自給度の高
い工業生産体制が形成された．

　個々の産業の雁行形態的発展が他の産業の雁行形態的発展にどのように関連
したのであろうか．まず同一産業内で粗製品の発展が精製品の発展に先んずる
傾向がある．たとえば太番手綿糸が細番手綿糸に，白黒テレビがカラーテレビ
に先行した．これは精製品のほうが技術習得がむずかしいからだけでなく，内

図 5-3　主要産業の雁行形態的発展

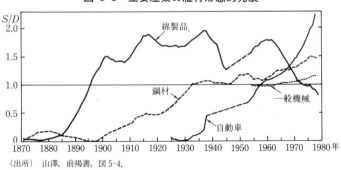

（出所）山澤，前掲書，図 5-4.

需拡大も遅いからである.

　次に前方および後方連関効果がある.消費財,完成品の輸入代替生産には中間財,部品,投資財の投入が必要となり,これらの投入財の輸入拡大,さらにその輸入代替生産を誘発する.これは需要創出が新産業をスタートさせる後方連関効果であって,繊維産業が染料化学や繊維機械産業の発展を誘発したのはその例である.他方,原料や中間素材が安価に供給されると,それを投入する産業の発展が促される.これが前方連関効果である.この例としては,綿糸生産の発展が綿布生産を支え,鉄鋼業の発展が自動車産業や造船業の発展を支えたことがあげられよう.

　もっとも雁行形態的発展の多様化,すなわち新産業のスタートを制約した要因として,生産要素賦存,とくに資本蓄積の程度や国内市場規模が重要である.資本蓄積制約があるために繊維産業などの労働集約的産業が工業化の初期に導入されるわけであるし,また国内市場規模が小さい国では最小最適生産規模が大きい重化学工業の発展がむずかしい.しかしこれらの条件にもまして重要なのは,国内需要の成長と潜在的比較優位を正しく見込んで,輸入代替生産を開始する企業家能力である.日本は比較的大きな国内市場をもち,利潤機会を目ざとく見いだして,輸入代替生産に速やかに踏みきった企業家能力にも恵まれていた.

5-3　交易条件と国際収支

　雁行形態的発展のメカニズムのなかで価格変化は重要な役割を果たす.当該産業の国内生産拡大にともなってコスト引下げが実現し,それが輸入代替・輸出化を可能にするからである.日本経済全体としても工業品の輸入代替・輸出化を達成した過程で価格効果を検出できないであろうか.

《交易条件の長期変動》
　図5-4には,100年間の交易条件指数と,輸出と輸入の相対価格指数の変化を示した.第2次大戦前の日本の貿易拡大に果たした価格効果については「交

図 5-4　交易条件および輸出・輸入相対価格の長期変動

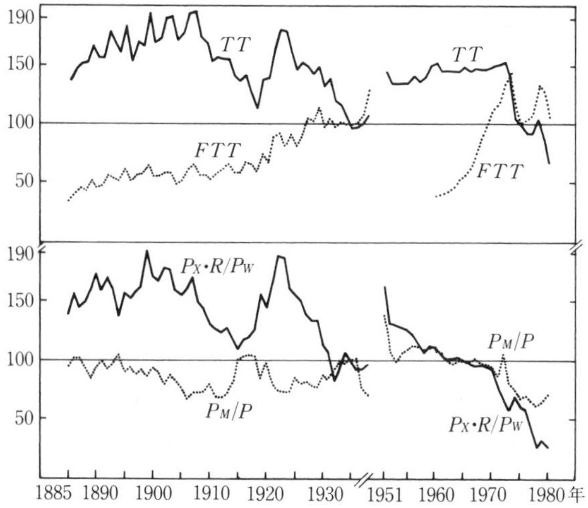

(注)　TT　　　：商品交易条件指数（＝日銀総合輸出物価指数÷総
　　　　　　　　　　合輸入物価指数）.
　　　FTT　　：生産要素交易条件指数（＝商品交易条件指数×労
　　　　　　　　　働生産性指数）.
　　　$P_X \cdot R / P_W$　：輸出相対価格（輸出物価指数÷世界貿易価格指数,
　　　　　　　　　為替相場調整済）.
　　　P_M / P　　：輸入相対価格（輸入物価指数÷国内物価指数）.
　　　　なお各指数の基準年次は，第 2 次大戦前は1934～36年，第 2 次
　　　大戦後は1965年をとったが，第 2 次大戦後の交易条件指数のみ作
　　　図の便宜上，基準年次を1975年として描いてある.
(出所)　山澤，前掲書，図2-4参照.

易条件論争」といわれるものがあった．輸出，輸入価格比率が長期的に低下し
て，日本の輸出拡大に貢献したとする篠原説と交易条件低下の貢献は両大戦間
期間などの一時期に限られていたとする小島説とをめぐっての論争である．図
5-4の商品交易条件指数（TT）を見ると，交易条件が低下して輸出成長に明
らかに結びつくのは1908～18年，1924～36年間である．

　他方，第 2 次大戦後の高度成長期には交易条件（TT）は横ばいで，1973年
以降 2 度の石油価格高騰時に急落した．商品交易条件に輸出産業（この場合工
業）生産性を乗ずると生産要素交易条件指数（FTT）が得られる．これは輸
出産業の労働者の単位時間当りに稼得する輸入品数量を測る．これは1908年以
前でも増加趨勢にあり，とくに1920年代および第 2 次大戦後の高度成長期に急

上昇した．両期間とも労働生産性の上昇が著しかった時期であり，輸出産業労働者当りの貿易利益は着実に増大した．

もっとも工業品の輸入代替・輸出化を測るには，直接競合する価格の比をとって，輸出と輸入の相対価格にしたほうが適切である．輸出相対価格（$P_X R / P_W$）の動きは第2次大戦前は交易条件の動きに似ているが，これは輸入価格（P_M）と円表示の世界価格（P_W / R）とのあいだに強い相関があったからである．第2次大戦後の高度成長期には交易条件は不変なのに，輸出相対価格は顕著に低下した．他方輸入相対価格（P_M / P）の動きはあまり明瞭でない．1906〜17年および1922〜36年に上昇したが，1905年以前と第2次大戦後にはむしろ低下した．これは工業諸部門間で輸出，輸入相対価格変動の時間のずれがあって，工業品全体としてはあいまいになってしまうからである．

部門間では，在来的特徴が強い部門にくらべて近代的部門の価格上昇が低いという，価格上昇率の格差構造が見いだされる．これは近代的部門で規模経済，技術進歩が起こった結果である．近代的部門のなかでも輸入代替化，輸出化が進んだ繊維，雑製品では輸入価格/国内価格比率は上昇，輸出価格/国内価格比率は顕著に低下した．化学・金属，機械などでも同じ傾向がもっと遅れて現れた．しかし在来的で国内財の特徴の強かった食料，木製品などではこれらの比率変化が不明瞭であって，しかも初期の工業品国内価格ではこれらの在来部門の比重が大きかったのである．

《構造変動と趨勢加速》*

日本の工業化での構造変動はけっしてスムーズに実現したわけではない．種種の制約が働いて，何度か中断しながら達成された．工業生産の成長率の推移を描くと図 5-5(A) のような上向きの傾向線に沿っての長期波動が得られる．第2次大戦前はほぼ20年の周期があって，しかも山と山，谷と谷を貫いた線は上向きになる．いわゆる「趨勢加速」といわれる現象である．[3] ただし1968〜70年の山の後で大きく落ち込み，1975〜76年にはマイナス成長を経験した．長期

3) 大川一司，H. ロソフスキー『日本の経済成長』東洋経済新報社，1973年．

波動の山は1889年，1915年，1936年，1958年，1970年，1978年にあって，この時期には第2次大戦前では7〜10%，第2次大戦後は17〜18%の工業生産ブームの時期があった．

　この成長率循環の山では構造変動が活発であった．図5-5(B)は工業生産の構造変化係数の推移を描いたものである．これは連続する7カ年の構成比の変化の絶対値の合計をとったもので，7カ年移動平均値の成長率循環と対応させうる．上述の成長率循環の山に対応して，1891年，1916年，1936年，1960年，1969年，1978年に構造変化係数の山が見いだされ，工業生産の成長率循環の山が顕著な構造変動をともなっていたことを示す．つまり，工業生産のブームはけっしてすべての産業が一律に増産を行って起こるのではない．特定の産業群が他を上回って生産を拡大することによって，ブーム（成長率循環の山）が生ずるとともに，当該産業群のシェアが急拡大するのである．

　図5-1でその内容を調べると，1889年は繊維生産拡大（食料などの縮小）に，1915年は繊維生産に加えて化学，金属，機械の重化学工業化（食料などへの代替）に，1936年は同じく重化学工業拡大（食料，繊維の縮小による）に対応しており，第2次大戦後の高水準も重化学工業の拡大を反映している．

《工業成長と国際収支制約》

　日本経済の軽工業化，重化学工業化が持続的ではなく，数回の構造変動期を経て達成された理由として，国際収支制約があげられるであろう．構造変動過程で輸入が輸出を超過すれば，貿易収支が悪化して，サービス勘定や資本勘定での純受取りでまかなわれないかぎり，国際収支は赤字になる．その結果金融引締めを余儀なくされて，投資をはじめとする国内経済活動が抑制されて，構造変動は中断される．

　図5-5(C)は工業品輸出と工業品・素原料輸入合計との比率および経常勘定受払比率の7カ年移動平均値(第2次大戦後は5カ年移動平均値)を描いたものである．前者は工業に直接関連する貿易収支であり，単純に「工業貿易収支」とよぼう．これは収支均衡のとき1，黒字のとき1を上回り，赤字のとき1を下回る．この工業貿易収支比率は第2次大戦前，第2次大戦後を通じて長期波動

図 5-5 構造変動と国際収支

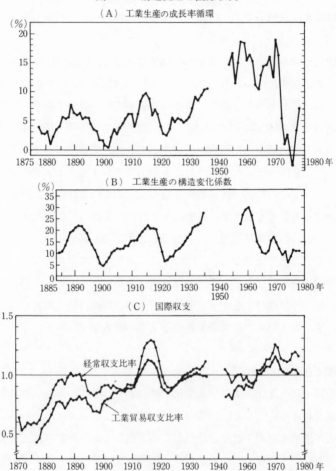

（A）工業生産の成長率循環

（B）工業生産の構造変化係数

（C）国際収支

(注) (A) 1934〜36年価格表示系列の対前年増減率の7カ年移動平均値. 第2次
　　　　大戦後は1965年価格表示系列の対前年増減率の5カ年移動平均値.
　　(B) $S(t, j)$ を t 期における j 産業の工業生産全体に占めるシェアとすれ
　　　　ば, t 期の工業生産の構造変化係数 $v(t)$ は次のように定義される.
　　　　$$v(t) = \sum_j |S(t, j) - S(t-7, j)|$$
　　(C) 工業貿易収支比率＝（工業品輸出額）÷（工業品輸入額＋素原料輸入額）.
　　　　経常収支比率＝経常取引受取額÷経常取引支払額. ともに当年価格系列
　　　　で各年の比率を求めた後に, 戦前7カ年, 戦後5カ年移動平均をとった.
(出所) 山澤, 前掲書, 図2-2(A), 図2-3(A), および図1-5を合成.

を描きながら強い上昇趨勢（改善傾向）をたどってきた．

　この強い長期上昇趨勢は，工業生産の長期波動の趨勢加速に対応している．すなわち，工業生産は軽工業化，重化学工業化の構造変化をくり返しながらその増加率を趨勢的に高めていったが，その過程で工業生産に投入される素原料輸入の増加率は相対的に低下していき，また工業品輸入は，第1次大戦後の輸入ラッシュは別として，繊維品，重化学工業品の輸入代替を達成しながら，その増加率を鈍化させていった．他方工業品輸出は繊維品から重化学工業品へと構造変化を遂げながらも，高成長率を持続した．この結果が工業貿易収支比率の強い上昇趨勢になり，1930年近傍でいったん1を上回った．第2次大戦後も同じメカニズムがくり返されて，1965年以降の顕著な黒字傾向を生みだしたのである．日本は工業化過程で国際収支制約を克服してきたのである．

　もう一つの「経常収支比率」は，工業貿易収支に素原料輸入以外の1次産品の輸出入収支およびサービス輸出入収支を加えたものだが，工業貿易収支比率が経常収支比率の動きを支配したことがわかる．その他貿易およびサービスの収支は第2次大戦前は1925年まで，第2次大戦後は1963年までそれぞれ黒字だったが，いずれもその後赤字に転じた．これらの傾向を生み出したのは第2次大戦前は1次産品輸出の伸び悩みと食料輸入の増大であり，第2次大戦後はサービス収支の赤字化である．

　経常収支が1を大きく下回った期間にはどうやって収支赤字はまかなわれたのであろうか．1883年以前と1895〜1913年，1920年代の三つの期間がある．第1と第3の期間には主として正貨流出でまかなったが，第2期には日清戦争の賠償金と日露戦争後の外債発行でまかなった．とくに1904〜13年間には外債発行で国内資本形成の20%をまかなった．当時の金本位制下では，この外貨流入がなければ，その分在外正貨が流出して，金融引締めが強められ，工業成長の抑制効果も強かったであろう．限られた期間ではあったが，日本の経済成長過程で国際収支制約が外資導入で緩和された事例である．

5-4　発展途上国の工業化と南北貿易

　18世紀末イギリスで始まった産業革命は，19世紀を通じ，20世紀初めまでか
けて，西ヨーロッパ諸国，アメリカ，ロシア，日本まで伝播した.[4] これらの
諸国は近代科学技術を利用した工業化を達成し，現在先進工業国グループを形
成している.

　現在の発展途上国への工業化の波及は1930年代に始まった．アルゼンチン，
ブラジル，チリ，コロンビアなどの南米諸国では，第2次大戦中先進国からの
供給が減少したため工業化が続けられた．他方東南アジアでは，フィリピン，
タイなどが同じく1930年代に工業化を始めたが，第2次大戦で中断され，1950
年代になって復活した．1950年代には東アジアの韓国，台湾，香港などの工業
化もスタートした．これら東・東南アジア諸国は1960〜70年代を通じて工業化
を中軸とした高度成長を実現して，今日世界で最も潜在成長力が強いグループ
と考えられている.

　工業化の波及にともなって工業生産能力が先進国からこれら後発諸国に再配
置され，先進国と発展途上国とのあいだのいわゆる「南北貿易」は急激に変化
を遂げつつある．発展途上国の工業化と南北貿易の変容は，貿易と経済成長の
相互関連についてのもう一つの興味深い事例を与えてくれる.

《輸入代替工業化と輸出志向工業化》

　南アメリカや東・東南アジア諸国が1950年代にとった工業化戦略は，自国の
国内需要を当てにした輸入代替工業化である．これは当時，ヌルクセ（R.
Nurkse）やプレビッシュ（R. Prebisch）によって，19世紀から20世紀初めの
新大陸諸国のステープル論の輸出主導型成長のアンチテーゼとして推奨された．
新大陸諸国が旧大陸諸国への1次産品輸出をきっかけに経済成長を離陸させた
のとは違って，1950年代初めでは先進諸国の1次産品に対する需要は弱く，1

---

　4)　工業化の波及について初めて論じたのはガーシェンクロンである．A. Gershenkron,
　　Economic Backwardness in Historical Perspective, Harvard University Press, 1966.

次産品輸出は成長のエンジンになるとは期待できない．むしろ国内市場で需要の大きい工業品の生産を拡大して，工業品輸入を減らし，外貨を節約する．また工業生産増加は所得増加を通じて国内需要増になり，自己補強的に働く．遠隔で，不確実な海外需要より，国内市場に密着して生産する利点も大きいというのが輸入代替工業化のおもな根拠であった．

　しかし1960年代に入って輸入代替工業化の行詰りが目立ってきた．消費財の輸入代替工業化には成功しても，そのために投入される中間財，投資財の輸入が増加して，ネットではむしろ輸入増になる．輸入代替化のために導入した高関税や輸入数量制限はしばしば国内市場での競争圧力を弱め，国内企業の合理化意欲を弱める結果，非効率的な工業生産が存続する，などである．

　他方1950年代後半から西ヨーロッパを中心に先進国の高度成長が始まり，貿易自由化も進められた．香港，台湾，韓国などはこの海外需要の好況を目当てとして輸出向け工業生産を振興する政策に転換した．雑貨品，繊維品がおもな輸出品であって，これらの労働集約的生産では先進諸国の5分の1から10分の1ともいわれた賃金格差を利用して，年々30～40％の増加率で輸出は増大し，それに牽引されて年率10％を超える高度成長が達成された．

　1960年代末からはシンガポール，マレーシアもこれにならい，1970年代に入ってタイ，フィリピン，さらに遅れてインドネシアも輸入代替工業化から輸出志向工業化に転換して，東アジア3国と同じか，それに準ずる高度成長を達成した．輸入代替工業化を続ける中南米諸国の低中成長実績やインフレ，債務累積などの経済困難と対照させて，輸出志向工業化戦略の正しさが強調されることが多い．

　もっとも輸入代替工業化と輸出志向工業化をあまりに対置させると，発展途上国の工業化の障害の本質を見失わせる危険がある．世界銀行の推奨もあって輸入代替から輸出志向への転換は1970年代における発展途上国の工業化戦略の流行となったが，この二つは二者択一ではなく，むしろ政策の重点がシフトしたと考えるのが正しい．国内市場に密着した工業化の有利さは軽視されるべきではない．ただ内向き政策がとかく保護障壁下で企業の合理化競争意欲を減らして，非効率経済を温存する傾向があるのを否定できないのに対して，外向き

政策では国際競争圧力にさらされて，合理化，効率化が強制される．さらに外向き政策をとる政府は国際市場環境の変化に合わせて慎重な政策運営を余儀なくされるのに，内向き政策をとる政府は過大な発展計画や放漫な運営をとっても阻止される機会が少ないことは事実であろう．もっとも1980年代にはこのような国々では累積債務が生じ，構造調整を余儀なくされた．他方輸出志向政策の弱点は世界経済状況に左右されることである．それが成功したのも1960年代の世界経済の好況と貿易自由化があったからであり，1980年代前半のように先進国経済が停滞し保護主義が強化されると，東・東南アジア諸国の輸出が激減し，発展計画も頓挫して，成長率も半減することにもなる．しかし1980年代後半にはアメリカをはじめ先進国の景気回復を手掛りに，輸出志向的な発展を達成しえた．

本来一国の工業化にとって国内市場の重要性は規模によって異なる．香港やシンガポールのような都市国家は輸出志向政策をとらざるをえない．他方，インドやブラジルのような大国は輸入代替政策でも規模経済が実現できるし，国内での競争も生ずる．そして中規模の国内市場をもつ多数の国にとっては，新工業の発展は輸入代替化から始めて，輸出化に進むのが合理的である．上述の東・東南アジアと中南米をくらべると，「成長のエンジン」論への疑問がでてくる．すなわち同じ貿易機会を与えられても，国内経済の対応が誤っていれば，成長のエンジンとして利用できない．成長の主エンジンはやはり国内にあって，貿易は「成長の侍女」というのが正しいであろう．

《発展途上国の追いつき工業化》

以上のように東・東南アジアの発展途上国では輸入代替工業化から輸出志向工業化に転換し，多くの産業で雁行形態的発展が進行中である．それを実例として現在の追いつき工業化のメカニズムを調べよう．

第2次大戦後の東・東南アジアの発展途上国の工業化の初期条件はどうであったろうか．まず東アジア3国は労働豊富で，工業化はこのような要素賦存状況のもとでは適切な戦略であった．東南アジア諸国はシンガポールを除いて，天然資源に恵まれているほうだが，1次産業のみに頼れず，工業化を必要とし

ていた．そして新産業は先進国からの製品輸入，技術知識，機械の導入の形で移植された．後発国の有利さがあったし，香港とシンガポールを除いてある規模の国内市場に恵まれていた．

　これらの初期条件は日本と共通だが，次のような相違点も指摘できる．①技術格差は日本の場合より大きく，単純な模倣はむずかしく，また習得にも時間がかかる．②今日の国際市場環境はライバルの数が多く，先進国の保護貿易措置もきびしくて輸出化がむずかしくなっている．③植民地主義の後遺症があって，経済近代化への障害になっている．これらはいずれも追いつき工業化への障害になる．したがって日本と同じ追いつき過程をたどるとは期待できない．しかしガーシェンクロンも指摘しているように追いつきに成功する後発国は障害を克服するそれなりの制度的工夫を行っているものである．

　図5-6には図4-9(C)の枠組みを用いて，東・東南アジア諸国の繊維産業と鉄鋼業とのずれを置いた雁行形態的発展を描いてある．繊維産業（ここでは化合繊織物）ではすでに1970年代初めに台湾，韓国が輸出化段階に達して，縦軸の1の目盛りを切り，それに続いて1970年代後半にはタイが，1980年代初めにはインドネシアが輸出化段階に達したとみられる．しかし鉄鋼業では1980年代初めに韓国のみが輸出化した．1980年代後半には，日本，台湾，香港，韓国からの直接投資が活発化した結果，中国や東南アジア諸国への電子・機械等の新産業が移植された．

　東・東南アジア諸国の追いつき工業化過程は，日本の経験と比較して，次のような特徴を指摘できよう．第1に，日本よりも短期間で輸入代替を終了，輸出化に入っていることである．これは大川一司が「圧縮過程」とよんでいるもので，基本的には「後発の有利」さのおかげである．第2に国家の政策介入が強まっている．輸入代替化はきびしい輸入制限下で達成され，輸出化の初めにも手厚い補助金を与えられた．第3に外国からの直接投資の貢献が大きい．それによって初期資本投資や技術格差の大きさという障害を越え，多国籍企業のマーケティング力を利用して国際市場環境のきびしさを克服している．第4に，一方では製品の輸入代替，輸出化に成功しながらも，部品，中間原料，資本財の輸入も伸び続けている．これは産業全体の移植ではなく，一部工程のみを移

図 5-6　東・東南アジア諸国の追いつき工業化

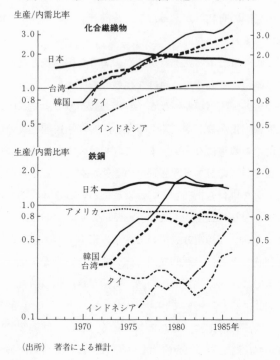

（出所）　著者による推計.

　植するために起こるもので，他方，東・東南アジア全域にわたる部品供給ネットワークが組織されて，相互依存関係が強められている.

　これらの諸特徴は，日本とは違った条件下で追いつき工業化を行ったために現れたものである. このうち政策介入の強化と外国からの直接投資の活用は，より大きな困難に遭遇した現在の発展途上国が，それを克服するために導入した制度的工夫とみなすことができよう.

《南北貿易における競合と補完》

　工業品輸出は東・東南アジア諸国からだけではない. 中南米や南ヨーロッパの後発工業国（スペイン，ポルトガル，ギリシャなど）からも工業品輸出が増加してきた. このような発展途上国の工業化と工業品輸出化によって，伝統的

な南北貿易のパターンはどう変わりつつあるのか.

　1979年の OECD の報告書[5]は, 主要な工業品輸出発展途上国グループを新興工業国 (Newly Industrialising Countries, NICs) とよんで, そこからの OECD 加盟先進国向け輸出動向を分析した.[6] NICs の11カ国合計で1963年に OECD の工業品輸入の2.6％を占めたのが, 1977年には8.1％に拡大した. シェアはなお小さいが, OECD 市場への浸透が急速なのが特徴である. 品目的にも1963年には衣類と木製品が主だったのが, 1970年代後半にはあらゆる種類の完成消費財, 繊維素材, 皮革製品, 電気機械に及んでいる. 1970年代初めまでは, OECD 諸国の高度成長や貿易自由化のおかげで, NICs の OECD 向け工業品輸出は順調に伸びてきたが, 石油危機後の不況で, OECD 諸国のなかにはこれらの輸入品と競合する国内生産者が調整困難を訴え, 輸入制限の要求が強まった.

　しかし先進国と NICs との競合面のみを強調するのは正しくない. OECD 報告書も, NICs が1970年代を通じて高成長を持続して, OECD 諸国から中間財・資本財を輸入し続けたことが OECD 諸国の成長の下支えとなったことを強調している.

　表5-4 の(A), (B)では先進国, 発展途上国に分けて, 工業生産, 工業品輸出の増加率を比較している. 工業生産増加率は1960年代は先進国, 発展途上国ともほぼ同率だが, 1970年代には先進国の増加率は半減したのに発展途上国ではほぼ同じ増加率を維持した. 1980年代以降は先進国, 発展途上国とも工業生産増加率が低下したが, 発展途上国の成長率はなお3％水準を保っている. 工業品輸出増加にも同じ傾向がみられるが, 先進国の工業品輸出増加率の減少は小さい. 両期間とも輸出増加率は工業生産増加率を上回っており, とくに先進国の輸出増加率は工業生産増加率ほどには低下していない.

　表5-4 の(C), (D)には, 両グループの工業品輸出をさらに相手地域別に分けて示した. 1960年代には先進国間貿易が最も拡大したが, 1970年代にはその増加

5)　大和田悳朗訳『OECD レポート・新興工業国の挑戦』東洋経済新報社, 1980年.
6)　なお香港や台湾を含めるため, アジアでは新興工業経済 (Newly Industrializing Economies, NIEs) という呼称が一般的になっている.

表 5-4　世界の工業生産・貿易動向

	先　　進　　国		発　展　途　上　国	
(A)　工 業 生 産 増 加 率				
1953年/1948年	6.6		4.0	
1960年/1953年	4.2		7.2	
1970年/1960年	5.8		6.2	
1980年/1970年	3.0		5.9	
1990年/1980年	2.3		4.7	
1994年/1990年	0.5		3.4	
(B)　工 業 品 輸 出 増 加 率				
1960年/1953年	(6.8)　　　　　7.3　　　　　(3.5)			
1970年/1960年	9.8		9.3	
1980年/1970年	5.9		11.2	
1990年/1980年	4.4		10.8	
1994年/1990年	4.0		6.0	
	対 先 進 国	対発展途上国	対 先 進 国	対発展途上国
(C)　工 業 品 輸 出				
1960年	37.7	16.4	2.5	1.2
1970年	128.0	33.5	8.9	3.6
1980年	644.2	253.0	71.5	46.9
1990年	1520.6	391.0	264.7	163.6
1994年	1679.3	588.7	443.2	339.5
(D)　同 上 増 加 率				
1970年/1960年	12.2	7.1	12.7	11.0
1980年/1970年	16.2	20.2	20.8	25.7
1990年/1980年	8.6	4.4	13.1	12.5
1994年/1990年	2.0	8.2	10.2	14.6

(注)　1.　先進国，発展途上国とも市場経済圏のみ.
　　　2.　(A)，(B)，(D)は年率（％）．(C)は当年価格表示の単位10億ドル．(A)は工業生産指数から算出した.
　　　　　(B)，(D)は不変価格表示に直してから算出した.
　　　3.　工業品は SITC 5 ～ 8 類の合計.
(出所)　UN, *Monthly Bulletin of Statistics*.
　　　　(A)：1961年 5 月号，1976, 1981, 1991年11月号の Special Table A
　　　　(B)：1961年 6 月号，1981, 1991年 7 月号の Special Table E
　　　　の基礎統計を加工したもの.

率は半減した．しかし，発展途上国向け輸出はいずれも加速している．1995年までに発展途上国の対先進国輸出は434億ドルも増加したが，その逆の先進国から発展途上国向け輸出増加はその約 3 倍強の1551億ドルに達している．すなわち両地域間の相互依存関係はいっそう強化されている．先進国市場では発展

途上国産品輸入が摩擦を引き起こしているが，他方先進国はその 3 倍余も発展
途上国向け輸出を増加している．発展途上国が1970〜90年代も成長を維持した
おかげで，先進国の成長率もそれ以上低下せずにすんだのである．

　1980〜90年代を通じて，これら先発途上国の工業化の進展は顕著であった．
とくに東・東南アジアでは，上述の韓国，台湾，香港，シンガポールにタイ，
マレーシアも加わって，OECD では「ダイナミックなアジア経済（DAES）」
とよばれるまでになっている．さらに1992年に世界銀行が『東アジアの奇跡』
と題した報告書を発表してから，東・東南アジア諸国の高度成長が知れわたっ
た．このほかにも上述の南ヨーロッパの 3 カ国は EC 加盟を果たして工業化を
さらに進めたし，メキシコも累積債務問題を克服してアメリカ，カナダと北米
自由貿易協定（1992年）を結ぶまでになっている．1990年代に入って，南米諸
国の経済発展の復調は顕著である．加えて市場経済化を進めている中国，東欧
諸国も工業分野での追いつきをはかっている．

　表 5-4 で示されるように，発展途上国の工業生産，工業品輸出は1980年代以
降も先進国の 2 倍以上の率で伸びた．しかも発展途上国の工業品輸出の57%
（1995年）は先進国へ向かい，先進国からはそれを上回る工業品輸出が発展途
上国へ行われている．発展途上国間での工業品の相互輸出も高い伸び率を示し
ていることに注目されたい（もっとも表 5-4 の発展途上国には旧社会主義国は
含まれていない）．

　今後も発展途上国のいっそうの工業化によって，南北貿易における競合と補
完はともに強まっていくと思われる．すでに繊維や鉄鋼等成熟工業製品の供給
源は先発途上国へ移っており，これら諸国と先進国との格差は縮小している．
先進国・発展途上国の区別がなくなり，「南北貿易」が死語となる日も遠くな
いであろう．

　今後発展途上国のいっそうの工業化によって，南北貿易における競合面と補
完面は両方とも強まっていくと思われる．先進国側では NICs の進出を過度に
警戒することなく，発展途上国とのバランスのとれた調和的国際分業を形成し
ていくことが望まれる．

【練習問題】

(1) 貿易は「成長のエンジン」か，それとも「成長の侍女」にすぎないか．

(2) 生糸輸出が日本の経済成長に果たした役割をもっと詳細に調べてみよ
（山澤，前掲書，第3章参照）．

(3) 日本の輸入先行的構造変動のメカニズムを説明せよ．

(4) 日本の経済成長過程で国際収支制約はどのように働いたか．

(5) 今日の発展途上国の追いつき工業化の特徴をあげ，その理由を説明せよ．

(6) 正誤問題

  1) 発展途上国への産業技術の移転はもっぱら多国籍企業の直接投資によって行われる．

  2) 輸入代替工業化は誤った発展戦略であって，輸出志向工業化をとるべきである．

(7) 対句の異同を明らかにせよ．

  1) ステープル論と余剰はけ口論

  2) 前方連関効果と後方連関効果

  3) 南北貿易における競合と補完

(8) 先進国の企業ではブーメラン効果（発展途上国への直接投資や技術移転の結果，先進国向け逆輸入が促進されること）に対する警戒が強い．読者はそれをどう考えるか．

(9) 世界銀行の報告書で，東アジアの奇跡をもたらした要因について調べてみよ．

第 6 章

貿易政策

　自由貿易をしている2国間では商品価格は均等になる．市場メカニズムの働きで，比較生産費原理にそった貿易パターンが成立する．生産要素価格も2国間で均等化し，生産要素を2国間で移動させる誘因はなにもない．自由貿易によって資源の最適配分が実現したわけである．これが第2，3章で説明した自由貿易論の論拠であった．

　しかし現実の貿易では種々の貿易障害が存在して，自由貿易の条件が満たされない．2国間の距離を輸送するための運賃や保険料がかかるので，その分輸入国での価格は輸出国での価格より高くなる．さらに輸入国での通関時に輸入関税が徴収されると，輸入国内での価格は輸入価格に関税を上乗せした分だけ高くなる．輸入関税は商品によって高くないしは低く政策的に決められていて，自由貿易が人為的にゆがめられている．これを自由貿易に対して保護貿易といい，ほとんどすべての国で，程度の差こそあれ実施されている．本章では輸入関税をはじめとした種々の保護貿易政策について，どのような効果があるのか，なぜ保護貿易政策をとるのか，日本ではどのような政策をとってきたのかをみてみよう．

6-1　保護貿易の諸政策

　輸入関税は保護貿易政策の一つの例にすぎず，ある商品が輸出国の税関を通

って輸入国の購入者の手に渡るまでには，下記のようにいろいろな政策的介入がありうる．

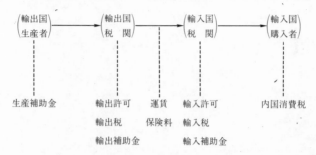

生産補助金や内国消費税は国内政策措置で，生産補助金は輸出向，国内販売向けにかかわらずすべての国産品に与えられるし，内国消費税は輸入品，国産品を問わずすべての国内消費に賦課される．これに対して輸出国，輸入国の税関で賦課される輸出税，輸入税や支給される輸出入補助金は輸出入品だけにかかわっており，通常貿易政策措置とよばれる．

輸出許可や輸入許可は通常は輸出業者または輸入業者の申請に対して自動的に認可されるものである．だが，時には許可が政策的に行われて，貿易障害となることがある．たとえば，輸出自主規制が輸出許可量を制限する形で行われる場合がある．

輸入の場合も政策的に輸入量を決めて輸入許可証を出す商品がある．また輸入品の場合，国内流通されるうえでの品質上，衛生上の基準を満たしているかどうかをチェックしたうえで輸入許可を出す商品もある．

以下で輸入関税と輸出・輸入数量制限を取り上げて，保護貿易措置がどのような効果をもつか調べよう．

《関税の効果》

関税は通常輸入品に対して，通関時に徴収される．税額は関税定率法で定められているが，従価税と従量税がある．従価税は輸入価格の一定パーセントとして税額が定められており，従量税は輸入品の単位数量当り何円と定められている．輸出国が輸出品に課税する場合（輸出税）もあるが稀である．

図 6-1 関税の効果

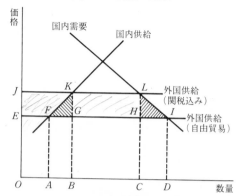

　図6-1は輸入品に関税をかけた場合の効果を示している．輸入品は自由貿易のもとでは，一定価格 *OE* でいくらでも供給される．国産品も輸入品と同質的と考えれば，両方の国内価格は等しく，*OE* になる．このとき国内消費は *OD*，そのうち *OA* が国内生産され，*AD* は輸入される．いま，この輸入品に *EJ* の関税をかけると，輸入品および国産品の国内価格は，輸入価格 *OE* に関税額を加えた *OJ* に引き上げられる．その結果消費は *OC* に減少し，国内生産は *OB* に拡大し，輸入品はその差額分 *BC* に減少する．国内価格の引上げ，消費減少，生産拡大，輸入減少が関税の資源配分効果である．

　他方関税をかけた結果，消費者余剰は減少（台形 *JLIE*）したが，それは生産者余剰の増加（台形 *JKFE*），関税収入（四角形 *KLHG*）と二つの純損失分（三角形 *KGF* と三角形 *LIH* の斜線部分）に対応している．関税収入は最終的には減税によって消費者に還元されると考えてよい．生産者余剰の増加分は消費者が損をして，生産者が得をする所得再配分効果を表わす．しかし純損失部分はだれの得にもならず，資源の誤配分による浪費になる．

　かつては財政関税といって財政収入に当てるために関税が課されたが，今日では国内生産量をふやし，生産者の所得をふやすために関税をかけることが多い．すなわち生産者の保護関税である．これは消費者の損失になるのだが，多数の消費者1人当りの損失は小さいので，少数の生産者の保護要求にとかく負けてしまう．しかし一国全体としても資源の誤配分による純損失（つまり国民

所得の減少）をこうむることを忘れてはならない．

　保護関税の特徴は商品ごとに関税率が異なる点である．つまりある商品に他の商品より高い関税率をかける．つまり保護を与える．すべての商品に一律の関税率をかければ，国内価格が軒並みに高まり，輸入が減少した分だけ為替レートが高くなって，関税の価格引上げ効果を打ち消してしまうからである．つまり商品ごとに関税率が異なっている点が保護関税の特徴なのである．

《数量制限の効果》

　最も代表的な輸入数量制限から始めよう．関税をかけて輸入品の国内価格を高め輸入を抑制するかわりに，直接輸入数量枠を決めて，それだけしか輸入させない．通常，数量枠分の輸入ライセンスを発行する形をとる．これは関税と同様の輸入制限効果がある．図6-1をふたたび用いれば，*EJ*分の関税をかけて結果的に輸入を*BC*に縮小させるかわりに，直接*BC*分の輸入ライセンスしか出さない．しかし価格が*OE*のままでは超過需要（*FG+HI*）が生じて，価格が*OJ*まで高められ，関税と同じ消費減少，生産増加の資源配分効果が生じ，かつ資源誤配分の純損失が生じるのも同じである．

　ただし，関税収入相当分の四角形*KLHG*が輸入業者に帰属してしまうのが問題である．理論的には輸入ライセンスを競売方式で*EJ*のプレミアムをつけて供与し，政府収入にすることが考えられる．そうすれば関税と同じ効果になる．しかし現実には別の政策措置の補償としてライセンスが与えられることが多い．たとえば，海岸埋立てによる漁業権放棄の代償として水産物輸入ライセンスを与える場合がある．GATT第11条では先進国が輸入制限をするのを禁じているが，現在でもなお存続している（そのため残存輸入制限とよばれる）のは，直接的で効果が確実であること，その関税相当率（図6-1の*EJ÷OE*）が100〜300％に達する高率の保護を隠ぺいできるからである．

　輸出自主規制は輸入国の要請により，輸出国側の政府または業界が，輸出の数量（および価格）を制限するものである．輸入国側で輸入急増を抑制する措置を求める動きが生じても，なんらかの理由で輸入制限措置を実施したくない場合に行う．政府の場合には輸出承認制，業界の場合には輸出カルテルによっ

て輸出数量が割り当てられる．後者の場合独禁法の適用除外になっている．輸出数量制限は輸入数量制限と同じ資源配分効果と所得配分効果をもつ．ただ輸出規制の場合には，関税収入相当分が輸出者に帰属し，輸入国の消費者から輸出国の生産者へも所得再配分が生じる点が異なる．

6-2 保護貿易主義の論拠

《保護貿易の費用》*

　前節では関税や数量割当で輸入を制限すると資源配分を誤って，純損失が生ずることがわかった．これを保護貿易の費用とよぶ．しかし資源配分というからには輸入財だけでなく，輸出財との関係も調べなければならない．そこで，第3章で用いた2財モデルを用いて，保護貿易の費用を確かめてみよう．

　図6-2は図3-5と同じである．自由貿易のもとでは P_1 点で生産，C_1 点で消費を行っていた．α が国際価格線（輸出財価格/輸入財価格）で，勾配が急になるほど相対価格（交易条件）が大きくなる．輸入財 M に関税をかけると，前節で説明したようにこの財の生産者，消費者が直面する国内価格は関税分だけ高くなる．輸出財の価格が変わらないとすれば，国内価格線 β は関税分 $(1+t)$ だけ国際価格線より緩傾斜になる．

　M 財に関税をかけた場合の生産点と消費点は P_2 と C_2 になる．まず P_2 は国内価格線（β）が変形曲線と接する点だから，β が α より緩傾斜である分 P_1 より北西の方向に移る．つまり輸出財の生産が減って，輸入財の生産がふえるわけである．消費点は社会無差別曲線の一つに β と平行な価格線（β'）が接する点だが，同時にその点は生産点 P_2 を通る α と平行な国際価格線（α'）が通っていなければならない．C_2 点と P_2 点とのあいだに国際価格の貿易三角形が形成されるからである．C_2 点を見つけるには，P_2 点の β 線を α' 線に沿って上にずらしていき，社会無差別曲線のどれかと接する点を見つけさえすればよい．この（P_2，C_2）が関税下での生産，消費の均衡点になる．C_2 点は C_1 より下位の社会無差別曲線に接しているから，それだけ厚生水準が低い．また C_2 は C_1 の南西方向にあるから，X，M 両財とも消費量が少ない．もっとも

図 6-2 保護貿易のコスト

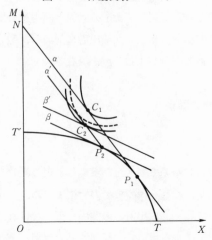

価格が割安になったことによる X 財の消費増加が所得減少による消費減少を上回ると，X 財の消費量はかえってふえる場合もある．しかし，M 財の消費量は必ず減少する．つまり輸出財も含めて考えても，輸入関税をかけると輸入財の生産は増加し，消費が減少するのは図6-1と同じである．そして輸出財 X の生産は減少し，消費はほぼ減少するが，場合によっては増加する．この厚生水準の減少が保護貿易の費用である．それを社会無差別曲線の差ではなく具体的に M 財あるいは X 財の数量で測ることができる．α 線を M 軸のほうに延長した切片を N，C_2 点が乗っている社会無差別曲線に接する，α，α' と平行な直線（図には描かれていない）の M 軸の切片を N' とすると，$\overline{NN'}$ が輸入財数量で測った保護貿易の費用になる．

　他方輸出財 X に関税と同率の輸出課税をしても，効果は関税と同じになる．[1] 交易条件の定義式（第5章5-3）で分母の輸入財価格を関税分だけ引き上げても，分子の輸出財価格を関税分だけ引き下げても相対価格は先の場合と同じだけ引き下げられるからである．つまり，輸入競争品の国内価格が上がっても，輸出品の国内価格が下がっても同じ結果になる．輸出財に課税しても輸入

---

1) これをラーナーの「対称性原理」という．

財に関税をかけたのと同じ輸入財産業保護効果がある.

　輸入財産業を保護するにはもう一つ輸入財の国内生産に補助金を出す方法がある. 図6-1で, 関税のかわりに同じ率の補助金を出せば, 生産者が受け取る国内価格はその分高くなって, もとの国内価格での生産量は $\overline{OB}$ にふえる. しかし消費者の支払う国内価格は変わらないから消費量は $\overline{OD}$ のままで, 自由貿易のときと変わらない. つまり生産量はふえるが消費量は変わらず, 社会にとっての純損失は三角形 FGK だけですむ. 図6-2では生産点は P_2 で, 消費点は a' 線が社会無差別曲線と接する点, つまり C_2 と C_1 のあいだで, C_2 よりは上位の社会無差別曲線に接する点になるであろう.

　つまり保護の目的が輸入財の国内生産をふやすことなら, 生産補助金のほうが関税と同じ効果をもちながら保護の費用が小さい, すぐれた政策手段ということになる. もっとも現実には政府にとって関税と補助金とでは大差がある. 関税なら収入があるが, 補助金では支出財源を見いださなければならないからである. その意味で関税のほうが使われることが多い.

《種々の保護貿易論》*

　すでに見たように保護貿易には費用がともなう. したがって保護貿易を主張するには, 費用を上回る便益を申し立てなければならない. 昔から種々の保護貿易論がいわれてきたが, どのような便益があるかによって次のように3分できる (表6-1参照).

　まず経済的保護貿易論といわれるもので, 保護貿易をしたほうが自由貿易下より所得が大きくなるという議論である. しかし第2, 3章で述べたように, 完全競争の条件が満たされていれば, 自由貿易のときパレート最適になって所得が最大になるはずである. つまりこの議論ではなんらかのゆがみが生じていて, 保護貿易でそれが矯正される結果所得が大きくなるというものである. そこでこの議論はどういうゆがみが生じているかによってさらに3分される. 第1は国内では完全競争条件が満たされているが, 国際貿易面で需要独占または供給独占が生じている場合である.

　たとえば, 個々の輸入業者は小さくともこの国の輸入業者全体としては需要

表 6-1　種々の保護貿易論

○ 経済的保護貿易論	最適関税論
	国内的ゆがみ論 ┌ 農工間賃金格差論
	└ 調整コスト論（第7章第2節）
	幼稚産業保護論（次項）
○ 非経済的保護貿易論 ── 特定産業保護論	
○ 誤った保護貿易論	┌ 国際収支論
	└ 低賃金労働論

独占になっている場合には，右上がりの供給曲線（外国の輸出供給曲線）に直面しているから，個々の輸入業者が個別に価格と数量を決めると需要曲線と供給曲線の交点で輸入価格が決まってしまうが，グループでより低めの独占価格でより少量輸入したほうがこの国の効用は高い。[2] そうするには輸入関税をかけて個々の輸入業者が通常より少量ずつ，より低い価格で輸入するようにすればよい。現実には，完全に需要独占になるケースはないが，太平洋地域の鉄鉱石や木材の輸入については日本全体としてはある程度の需要独占力があって，輸入価格に影響を及ぼすことができる状況にある。もっともこれらの原材料はもっぱら無税で輸入されており，上で述べた理由で関税をかけることはない。他方供給独占がある場合には，輸出税をかけて通常より高い価格で輸出したほうが所得が高くなる。こちらの例としては石油輸出国がグループで石油輸出価格を引き上げた例があげられよう。

　もう一つの経済的保護貿易論は，いろいろ国内競争条件にゆがみがあって，市場で決まる価格ではパレート最適が成立しない場合である。たとえば発展途・上国で工業化を促進するには農村から都市に労働が移動してくる必要があるが，移動の費用もかかるし，都市のほうが生活費も高い。そのため都市の工業部門では農村での農業部門より高い賃金を払わなければならない。この移動コストがかかるために農工間に賃金格差が生じて，それだけ工業部門が不利になる。

---

2)　正確には供給曲線から限界要素費用曲線を導いて，それと需要曲線との交点で輸入量を決め，その輸入量に対する供給価格（輸入価格）と需要価格（国内販売価格）との差だけの関税をかければ，この国の所得は極大になる。その意味でこの関税率を最適関税率といい，それだけの関税をかけるべきだという議論を最適関税論という。

この場合には輸入工業品に対して国内工業を保護して，この賃金格差を相殺してやれば，この国の所得がふえるというものである．これは後発の工業国で古くからある工業保護論である．

　最近盛んな国内的ゆがみ論には調整コストの議論がある．たとえば発展途上国の追い上げによって輸入財価格が下がったとしよう．輸入競争産業で雇われている生産要素の報酬が下がって，これらの生産要素は輸出産業のほうに移動しなければならないが，現実には移動できないものもあって失業してしまう結果，この国全体としては所得が減少する．これを産業間の調整にかかるコストというが，保護貿易で輸入を制限した場合のコストより大きい場合には保護貿易のほうが所得が高くなる．

　もっとも農工間賃金格差論にせよ，調整コスト論にせよ，保護貿易のほうが所得がふえるとはいってもそのために関税をかけろという議論にはならないことに注意されたい．関税よりも輸入競争産業に生産補助金を与えたほうが，保護貿易の消費コストがなくてすむ分だけよい（前項の生産補助金の議論参照）．

　さらに農工間の労働移動や産業間の調整困難を直接補完するような補助金のほうが優れている．つまり第1の，国際貿易に独占がある場合には関税が最善の政策だが，国内にゆがみがある場合には保護関税を正当化する議論にはならないのである．

　第3の分類は幼稚産業保護論として知られているものである．これも一種の国内的ゆがみがある場合だが，時間の経過によって競争条件が変化することを考えるので，動態的保護貿易論である．これについては独立の項を設けてもっとくわしく議論しよう．

　非経済的保護貿易論は，保護貿易をすると実質所得や効用水準は下がるが，それを相殺する以上の利益が生じるからよいとするものである．特定の産業の国内生産を一定量ふやすこと自体を目的としている．発展途上国の発展計画によく見られる工業生産を何％かふやすことを目標にする場合はこの例である．先進国でも食料・資源自給のために第1次産業を保護したり，国家防衛のために軍需産業を保護することはけっして稀ではない．図6-2でそもそも $P_1 \rightarrow P_2$ だけ M 財の生産をふやすことが目標だったとしよう．その場合には $\alpha \rightarrow \beta$

142

　の差だけの関税をかければよい．もっともこの場合でも関税よりも生産補助金のほうがコストが小さく，所得水準が高くなる．関税なら C_2 の効用水準だが，生産補助金なら α' に接する，C_2 より高い効用水準になっているからである．

　第3の誤った保護貿易論というのは，いろいろな目的をあげてそれを達成するために保護貿易を主張するが，その論拠を調べると保護貿易をしても先の目的が達成されない場合である．国際収支赤字を解消するために保護貿易をすすめたり，低賃金国からの輸入は自国の労働者の所得水準を低くするから，保護貿易を行って輸入を抑制しろという議論がその例である．国際収支論も低賃金労働（チープ・レーバー）論も昔からいわれてきたものだが，保護貿易を行っても目的は達成されない．

　国際収支論は，保護貿易のもとで輸入代替化を促進して，国際収支赤字を減らそうとするものだが，多くの場合国際収支赤字はインフレーションとか為替相場の過大評価によって生じていて，保護貿易をしてもそれが解消するか疑わしい．

　低賃金労働論には一面の真理はある．つまり，労働集約財の輸入を抑制すれば労働賃金が高くなり，労働の相対的分け前が高くなる傾向（これをストルパー＝サミュエルソンの定理という）がある．しかし長期的に考えれば，比較生産費原理に沿って労働集約財の輸入をふやし，資本集約財の輸出をふやしたほうが貿易の利益が得られて全体の所得がふえ，労働賃金そのもの（つまり絶対的分け前）は増大するであろう．

《幼稚産業保護論》

　未発達の状態にある産業に一時的に関税保護を与えれば，その発達が促進され，効率化が行われて，関税なしでも輸入品と競争できるようになる．これは後発の工業化国でよく聞かれる保護貿易論である．事実，18〜19世紀のアメリカのハミルトン（A. Hamilton）やドイツのリスト（F. List）が提唱したもので，幼稚産業保護論とよばれる．当時先進工業国であったイギリスのアダム・スミス（Adam Smith）の自由貿易論に反対して主張された．

　もっともどのような幼稚産業にも保護を与えてもよいというものではない．

ミルの条件. バスタブルの条件

ミル（J. S. Mill）は「その国が本来比較優位をもつ産業で，後発であるためにコスト高でいまは先発国からの輸入品と競合できないが，一定期間国内生産が保護されれば効率化して，やがて保護なしでも存続していけるようにならなければならない」と条件をつけたし，バスタブル（C. F. Bastable）はさらに「保護期間中の損失は後に生ずる利益で償われなければならない」という条件をつけた．

ミル，バスタブルの議論は図6-3で図示できる．S, D, S_f は現在の国内供給，国内需要，外国供給曲線である．この段階では国内供給コストは輸入価格を上回って，この産業は存続できない．しかしいま関税をかけて輸入品の国内販売価格を S_f' にまで引き上げてやれば，この産業は OA だけの規模の生産ができる．この国が本来比較優位をもてるような産業であれば，生産経験を重ねていくうちに種々の効率化が行われて，S 曲線が右下方に移動して S' になる．ここまで発展すれば，関税を撤廃しても OC だけの生産が維持できるようになる．さらに効率化が進めば S' 曲線と D 曲線とは S_f 曲線の下で交わるようになって，この産業は輸出もできるようになることも期待できる．以上がミルの条件である．バスタブルの条件は現在の関税保護のコストを将来の自由貿易下での利益と比較しなければならない．S 曲線の下での関税保護のコストは二つの斜線の部分の合計 $a+b$ である．供給曲線が S' に移った後で関税を撤廃すると生産量は OC になり，もう一つの斜線部分 c だけの利益（生産者余剰）が生ずる．この将来利益を適当な社会的時間割引率（i）で割り引いて現在価値に直したものが現在の損失を上回らなければならない．すなわち

$$a+b < \frac{c}{1+i}$$

である．

ミル，バスタブルの条件は明瞭な条件のように見えるが，これを厳密に適用するのは容易ではない．a, b, c の大きさはなんとか測定したとしても，問題は将来期間をどこまで限定するかである．将来を十分長くとれば上の式の右辺は将来の各時点の利益を合計したもの，

図 6-3　幼稚産業保護の効果

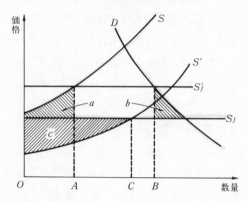

$$\frac{c}{1+i} + \frac{c}{(1+i)^2} + \cdots\cdots$$

になり，右辺はいくらでも大きくなる．つまり生産を存続しているうちに効率化が行われる産業であれば，将来利益はつねに現在損失を上回ると期待され，多くの幼稚産業がこのテストに合格することになろう．

　実際，多くの後発工業国で幼稚産業保護の名目で多くの新産業が関税保護を受けてきた．次節で説明するように日本でも第2次大戦前・後とも総花的な幼稚産業保護が行われてきた．第2次大戦前の鉄鋼業，化学肥料工業，人絹工業，第2次大戦後の合成繊維，自動車，コンピュータ産業などは最もよく知られた例である．これらの産業はいずれものちに輸入代替化を達成しただけでなく，輸出産業化したから，日本の幼稚産業保護は成功だったと考える人も多い．しかし，この点はもう少し詰めてみる必要がある．

　第1に先の利益・損失計算で，損失は需要者全体がこうむる社会的損失だが，利益も社会的利益であろうか．各企業の生産規模が拡大して，効率化し，産業全体の生産拡大になる場合には，その利益は実現した企業内部にとどまる．これは内部経済とよばれるが，その利益は私的利益であって，先の消費者の損失を償わない．この場合企業に十分な資本調達力があれば，関税をかけて国内価格を引き上げなくても，低い価格のままで赤字をこうむりながら生産を続けることができる．将来の利益で赤字を償えばよいからである．もっとも関税をか

けて国内価格を高めて消費者が現在損失をこうむっても，将来規模経済から生じた利益で国内価格を引き下げて，消費者の利益を十分ふやすなら，現在損失を相殺することができよう．

　他方，産業全体の生産規模が拡大すると，企業にとっての内部経済だけでなく，企業以外にも利益になる外部経済が出てくる場合がある．たとえば乗用車産業が拡大して，機械組立ての熟練工がふえ，他の機械産業の拡大を助ける場合である．それが十分大きければ，初期の関税コストを上回って，補償ができる．つまり十分な外部経済があったり，十分な国内価格の引下げがあれば，幼稚産業保護が認められることになろう．

　幼稚産業保護論でも，関税より補助金のほうが消費者コストがかからずにすむ．もっとも関税が収入になるのに補助金は政府支出になるという違いがあり，財源難の政府では関税に訴えやすい．

　幼稚産業保護論は古くから実施されてきたが，上記の3条件を厳密に適用した例はないようである．1960年代，日本は乗用車のきびしい輸入制限を行って，乗用車産業の発展を促したが，その結果乗用車価格は高くなり，乗用車の所有が制限された．この時期の消費者の損失は償われたであろうか．外部経済は実際に生じたか．乗用車の国内相対価格は1959〜76年間に31.5％に低下したが，この利益，損失を厳密に計算した例はない．[3] 将来期間を長くとるほど将来利益のほうが大きくなる傾向があろう．

　このように幼稚産業保護論はどのような産業にも適用されやすく，総花的な保護になることが少なくない．食品や非鉄金属，航空機産業など，保護を受けながらなかなか効率化が進まず，永らく幼稚産業のままでいるものもある．

6-3 日本の貿易政策

　日本が近代的経済成長を始めてから100年経った．この間に日本の貿易政策は大きく変化した．すでに見てきた貿易政策の理論に照らして，日本の貿易政

3) 日産ブルーバード・スタンダード型の小売価格は1959年8月59万5000円だったものが，1976年6月に61万9000円であった．この間の日銀消費者物価指数は230％上昇している．

策の経過を振り返ってみよう.

《工業化と保護貿易政策》

　1866年，日本は欧米諸国と改税約書とよばれる貿易協定を結んだが，これが
その後の日本の産業と貿易の発展にとっての初期条件を設定した．この条約の
もとで日本の輸出・輸入税（多くは従量税）はほとんどの商品について従価換
算5％の低率に定められた．このように日本の工業化は低い関税障壁のもとで
開始された．現在著しく高い関税障壁を維持し，きびしい輸入制限を行いなが
ら，工業化が停滞している発展途上国が少なくないことと照らし合わせて，日
本が強制されたとはいえ，自由貿易を維持したことを，急速な工業化の成功の
一要因とみる論者もいる．本当にそうだったろうか.

　関税自主権の回復，つまり条約にしばられずに自主的に関税を定められるよ
うになることは，歴代の政府の外交政策課題であった．長いあいだ条約改正の
努力を重ねた後で，日本は1899（明治32）年に関税自主権を回復し，同年1月
1日から各商品の関税率を定めた関税定率法が施行された．関税定率法の一般

図 6-4　関税率の推移 (1868〜1980年)

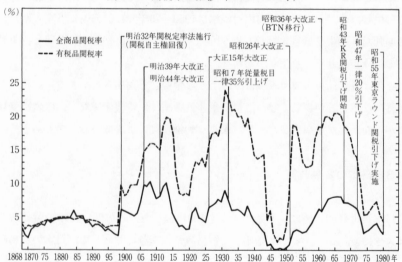

（出所）　山澤逸平・山本有造『貿易と国際収支』（長期経済統計14），東洋経済新報社，1979年，第22表.
　　　1970〜80年は『財政金融統計月報』1982年9月号.

改正は1906年（明治39年），1911年（明治44年），1926年（大正15年）に行われたが，ほとんど毎年部分的に改正された．そして1930年代初めまで，関税率は漸次引き上げられていった．これは日本が重化学工業化を始め，その輸入代替化を推進した時期に当たる．つまり日本の重化学工業化は保護貿易のもとで進められたのであった．

　図6-4には日本の平均関税率の100年間にわたる推移が描かれている．平均関税率は現実の関税徴収額を全商品輸入額ないしは有税品輸入額で除して求めた，関税負担率である．平均関税率は1899年まで5％以下の低水準に抑えられてきたが，その後漸次引き上げられ，第1次大戦中および第1次大戦後の落込みを除くと，1930年代初めまで上昇を続けた．第1次大戦期の落込みは，この時期に価格が高騰した結果従量税の従価換算率が低減したことによる．

　平均関税率の引上げよりも注目すべきことは関税賦課が差別的になったことである．すなわちある商品の関税を大幅に引き上げる一方，他の商品については引下げないしは無税にしている．これは1899年以降全商品平均関税率と有税品平均関税率との差が拡大していくことからも読みとれる．差別的な関税賦課はたくらまれた産業保護主義の現れである．日本経済の完全自給化を目的とするのでないかぎり，政府がすべての輸入品に一律に高関税をかけることはない．一産業の保護は他の産業を犠牲にしてはじめて有効になる．

　もっとも初期には関税収入が関税賦課の主要目的であった．生糸や茶のような輸出品にも5％相当の関税がかけられ，輸出税収入は輸入税収入の3分の2に達した．しかし輸出税は輸出を抑制する傾向がある．また，綿花のような原料品に関税をかけるとそれだけ原料コストが高くなり，その分製品が割高になる．1890年代から1900年代初めにかけてこれらの輸出税や原料輸入税が撤廃されていった．他方，国内で生産が開始された工業品の関税率はますます引き上げられていった．1911年の関税改正方針ではなお「収入主義を中心として，必要に応じて保護主義を加味すべき」と述べているが，1926年の関税改正では「根本方針は内地産業の生産条件を有利ならしむるとともに，重要産業については外国品との競争に対し必要なる程度の保護を与える」と，はっきり産業保護主義を打ち出している．このような方針は総花的保護に拡張されやすい．事

実1920年代には鉄鋼，人絹，合成染料など新興の重化学工業品の関税率が相継いで引き上げられていった．

自由貿易論者はこのような総花的保護貿易化に強く反対した．彼らは保護は少数の有望産業だけに限定し，すでに発達した産業の関税は撤廃すべきであると主張した．しかし，一度賦課された関税の撤廃はなかなか実現しなかった．1925年に中小メリヤス業者が中国産綿糸輸入の競争圧力を増して，国内綿糸価格を引き下げようと，5％の綿糸関税の撤廃を国会に働きかけた．しかし大綿紡企業が反対し続けたため，1930年にやっと3.3％に引き下げられたのである．すでに輸出産業として確立した産業でも，関税引下げにいかに抵抗が強いかがわかる．

関税率が引き上げられたもののなかに米や麦などの農産物がある．初め大部分の食料輸入は無税であったが，1905年日露戦争の非常特別税の一環として関税が賦課され1906年の改正で関税定率法に組み入れられた．米の輸入関税は1905年には15％であり，1913年には従価換算23％に引き上げられた．小麦，大麦の関税は1905年に5％から10％に，1911年にはさらに20％に引き上げられた．これは日本の農業保護をねらったものであり，国会ではこれをめぐって地主と商工業者とのあいだに白熱した「穀物法論争」がくり広げられた．イギリスでは1846年に穀物法が撤廃されて，穀物の自由輸入が実現したが，日本では1913年にこの論争が最終的に決着して，米輸入60kg当り1円の従量税（1910〜12年の平均輸入価格で割るとその従価換算率は23％）が賦課されることになった．しかし当時植民地であった台湾，朝鮮からの米移入は免税になったから，この農産物関税引上げの結果，台湾，朝鮮で生産し内地に移出する植民地農業を奨励する結果になった．

もっとも日本だけが保護関税を高めていったのではない．初め日本が自由貿易を強制されたのは1860年にイギリスとフランスのあいだでコブデン・シュヴァリエ条約が結ばれた直後の世界的な貿易自由化の波のなかであった．1879年以降ドイツやアメリカを中心に保護主義傾向が強くなってくるが，この保護主義化の動きのなかで日本は関税自主権を回復し，関税の引上げを始めた．保護主義化の波は第1次大戦後もさらに強められ，1930年代には各自の貿易ブロッ

ク内でのオータルキーにまで進むが，この世界的な動きのなかで日本も関税を
高めていったのである．もっとも第2次大戦前は各国とも関税が保護貿易政策
の主要な手段であった．為替管理による輸入数量制限は1937年まで実施されな
かったし，産業補助金は運輸通信などのインフラストラクチャー建設や造船，
製鉄，自動車などの戦略産業にのみ与えられた．

《貿易・資本の自由化》

　第2次世界大戦直後，日本の貿易は占領軍，日本政府による管理体制下にお
かれ，輸入用途によって異なった為替相場が適用される複数相場制が採用され
た．1948年5月に民間貿易が再開され，1949年5月に1ドル＝360円の統一為
替相場が決められたが，きびしい為替管理，貿易制限措置は続けられた．その
後の国際分業体制への復帰は，日本にとって2度目の開国にもなぞらえられる．
100年前の開国時と同じく，世界経済自由化が進行していた．新しく発足した
GATT（関税と貿易に関する一般協定）のもとで，各国で1930年代の為替管
理，貿易制限措置がしだいに緩和され，個別品目ごとに関税引下げ交渉もねば
り強く進められた．GATT は関税について，(1)加盟国相互の多角的交渉によ
る引下げ，および(2)加盟国間の関税上の無差別待遇（最恵国待遇）の2大原則
を立てている．すなわち一般関税交渉では多数加盟国が2国間交渉を数多くの
品目についていっせいに行い，その結果成立した各国の協定税率を全加盟国に
均霑させる．日本は1953年に GATT に加盟したが，それまでにすでに3回の
一般交渉（1947年，1949年，1950〜51年）が実施済みであった．1955年の加盟
交渉では日本はアメリカを中心としてギブ・アンド・テイクの関税譲許を行っ
たほかに，他の加盟国から最恵国待遇のもとで既存の GATT 譲許に均霑しえ
た．またその後第4，5次の一般交渉（1956年，1961〜62年）でもあまり積極
的に参加していない．

　一部ヨーロッパ諸国による対日差別（GATT 第24条による最恵国待遇の留
保）が残されたが，欧米中心で進行した関税引下げによる貿易拡大のメリット
に日本が「ただ乗り」した面があったことは否定できない．また，先進国間の
経済政策調整の役割を果たす OECD（経済協力開発機構，1961年発足）に日

本が参加したのは1964年であり，そこで加盟国に義務づけられた資本自由化も日本は1967年まで全面留保した．

　日本が本格的に貿易・為替の自由化を始めたのは1960年からである．同年6月に発表された「貿易・為替自由化計画大綱」のなかでは，自由化が必要な理由として，世界経済自由化の大勢のなかで国際的要請が強いこと，数年来国際収支が好転して外貨準備も増加してきたこと，および経済を開放して国際競争下で企業合理化努力を促す必要があることをあげている．しかし，自由化は段階的に実施するものとし，産業保護への慎重な配慮をみせている．

　「計画大綱」では貿易品を四つのカテゴリーに分けた．(A)早期に輸入自由化するもの，(B)近い将来（おおむね3年以内）自由化するもの，(C)所要の時期を貸して自由化するもの，(D)自由化は相当期間困難なもの．このうち(A)は原綿，原毛以下素原料で，早期に自由化して投入産業のコスト引下げを助けるつもりだった．繊維品，雑貨や鉄鋼など，すでに国際競争力がついてきているものや国産品と直接競合しないものについては(A)ないしは(B)のカテゴリーに入れた．1950年代終りまでに国産化が進んでいた合成繊維品は(B)に含まれている．(C)には「技術開発途上にあるもの」や「今後機械工業の中核的重要部分として育成を要する」ものが該当する．工作機械，工具や乗用車，重電機器，化学機械装置がある．(D)には米，麦，でんぷん類，酪農品，食肉加工品などの農畜産品が含まれている．

　ここで貿易の自由化とは，それまで輸入割当制（IQ）を適用していた品目を自動承認制（AA），自動輸入割当制（AIQ）適用に移すことである．貿易自由化前年の1959年の輸入額構成で測って，各年のAAとAIQ適用品目の構成比合計を自由化率とよんだ．この自由化率は1960年には44％だったのが，1963年には92％，1970年には95％に達した．もっともこの間に輸入額構成は大きく変化したから，あまり意味のある数字ではない．逆になおIQ制度下にあるものを残存輸入制限品目とよび，1985年現在で27品目ある．石炭と皮革製品以外は農水産物で，まさに「自由化が相当期間無理なもの」であったわけである．

　貿易自由化にともなって関税政策の見直しが行われた．割当制による直接制

限がなくなるかわりに関税の通商政策上の役割が増してきたわけである．1961
年に関税定率法の改正が行われ，同時に，関税表示方式を欧米諸国と共通の
BTN（ブラッセル関税分類）方式に改めた．この1961年改正は第 2 次大戦後
のわが国の関税構造の基本をつくったもので，輸出振興，貿易自由化の要請を
背景に，国際競争力強化を主眼として，産業保護主義が盛り込まれている．

　1967年には対日直接投資の第 1 次自由化が行われ，1973年の第 5 次まで漸次
自由化を進めた．自由化の方法はそれまで外資法で個別審査制になっていたも
のを自由認可制へ切り替えたものである．その際新設企業の外資による株式取
得が50％まで自動認可される「第 1 類自由化業種」とそれが100％まで認めら
れる「第 2 類自由化業種」に分けられる．そして資本自由化は漸次個別審査業
種から自由化業種へ，それも第 1 類から第 2 類へ移すという形で進められた．

　自由化業種の選定には政府はきわめて慎重であった．第 1 次自由化の第 2 類
には鉄鋼，セメント，紡績，造船などわが国企業の国際競争力の強い，したが
って外資進出の可能性が少ない17業種が選ばれた．1971年の第 4 次自由化から
は非自由化業種のみ提示するネガティブ・リスト方式に変更された．1973年の
第 5 次自由化では22業種（内個別審査対象 7 業種）を除いて完全自由化された．

　1960年代にはすでに欧米で保護貿易措置がとられ始めており，繊維，雑貨，
鉄鋼などの日本の輸出品に対して自主規制が要請されていた．他方日本ではこ
の時期に貿易，資本の自由化が進められたのである．もっとも，日本の自由化
が産業ごとの発展段階を配慮して慎重に進められたこと，とくに問題業種の自
由化は故意に遅らされたことに注目する必要があろう．たとえば乗用車の貿易
自由化は1965年，資本自由化（第 1 類）は1971年であり，計数式電算機では貿
易自由化は1975年，資本自由化は1976年であって，乗用車，電算機の輸入代替
化・輸出化に対応していた．

《国際貿易交渉》
　GATT の一般関税引下げ交渉は1962年までに 5 次にわたって行われたが，
国別品目別交渉は回を重ねるにしたがってしだいに成果があがらなくなってき
た．アメリカのケネディ大統領が提唱して，多数品目にわたって一律に引き下

げて大幅な関税引下げを実現しようとしたのが，一括引下げ方式によるケネディ・ラウンド（1962〜67年）である．5年間の交渉を要し，平均37%の関税引下げに成功した．過去1世紀を通じて画期的な低関税貿易時代が実現したのである．

　次の東京ラウンド（1973〜79年）は，前ラウンドの関税引下げが達成された1973年のGATT東京総会で提唱され，再度の一括引下げ交渉を始めたものである．鉱工業有税品目の86%が引下げ対象となり，平均38%引下げ（1980〜87年間に段階的実施）が実現した．この度は関税率のハーモナイゼーションも目的とされ，高税率品ほど大幅に引き下げて，関税率の平準化が進められた．

　1960年代初めまで日本は欧米に一歩遅れて自由化を行ったが，これらの貿易交渉には積極的に参加した．ケネディ・ラウンド，東京ラウンドともスケジュールに先んじて関税引下げを実施している．これは主として貿易収支黒字縮小のためにとられた措置だが，その一つに1972年11月の鉱工業品関税の20%引下げの片務的実施がある．このような関税引下げ措置によって，日本の関税水準はアメリカやECを下回るようになっている．

　もっとも関税引下げが進み，関税の貿易制限効果が弱まるにつれて，関税以外の非関税障壁（NTB）の制限効果が目立つようになってきた．東京ラウンドでも関税引下げに加えて，残存輸入制限，関税評価，政府調達，補助金，商品規格，輸入許可手続きなどが検討され，理解を共通にして統一的に運用することが合意された．これらに加えて金融・保険・通信・情報・技術などサービス貿易に関する諸規制も問題になってきている．1994年に妥結したウルグアイ・ラウンド交渉でもこれらのNTBが新分野としてとり入れられた．

　日本政府による関税引下げ措置で注目すべきものに一般特恵関税制度（GSP）がある．これは先進国がすべての発展途上国からの工業品輸入に対して特恵関税待遇を与えるもので，他の先進国からの輸入品に課される関税を発展途上国からの輸入品には全部ないしは50%免除するというものである．その分発展途上国産品の輸入価格が下がって，工業品輸出が促進されることを期待して，先発発展途上国が強く要求し，第1回国連貿易開発会議（UNCTAD，1964年）で提案された．アメリカを中心にGATT原則の相互主義に反すると

の反対が強かったが，GATT 原則の例外措置として暫定的に認められたものである．日本と EC は1971年から，アメリカは1975年から，10年期限で実施し，現在はいずれも 3 期目に入っている．

　先進国側が片務的に供与するもので，国内の輸入競争産業への影響が生じた場合には一方的に撤回してよいことになっている．運用方式は国によってまちまちだが，各国とも例外品目をもうけたり，品目ごとに特恵適用枠を限定するなど，きわめて複雑な運用方式になっており，発展途上国の輸出関心品目ほどきびしく運用されている．発展途上国側からは簡略化と改善の要求が強い．他方新興工業国など一部の発展途上国のみが特恵適用枠を占めて，後発途上国が受益できないことも指摘され，EC とアメリカはすでに先発途上国をこの制度から除外する卒業措置をとっている．

《輸入促進と関税構造》

　高度成長期を通じてわが国産業は急速に発展し，多くの新しい輸出産業を生み出した．貿易収支の黒字傾向が定着し，均衡回復のために輸入促進が重要政策課題となった．1972年の関税率審議会答申では，従来の産業保護偏重を改め，適正な国際分業を促進する観点から関税率体系の見直しを提言している．そこでの主要な柱は，①逓増的関税構造の緩和，②産業の発展段階に応じた関税の引下げ，③奢侈関税の撤廃，④農産物高関税の引下げ，であった．

　その後の中・低成長期を通じてわが国産業・貿易構造はさらに変化を続けて，対外不均衡解消のために製品輸入拡大が最大の政策課題となってきた．1972年答申の「望ましい関税率体系のあり方」は今日でも適切である．他方この間にわが国は東京ラウンドの関税引下げを実施中であり，市場開放措置の一環として数次の片務的関税引下げを実施した．このなかで1972年答申の関税率体系の改正がどの程度実現されたかを調べよう．

　1961年度の関税改正方針では「1 次産品，原料品に低く，加工度が進むに従って高く」関税率を設定すると明記している．できるだけ原料を未加工で輸入し，製品に加工して輸出するという加工貿易促進の関税政策である．日本のみならず欧米先進国で広く見いだされるが，日本の逓増の程度が他国より著しか

表 6-2 鉱工業品の逓増的関税構造の国際比較〔加工段階別
鉱工業産品平均関税率（除く石油，金）（ガット試算）〕 (%)

		東 京 ラ ウ ン ド 前				東 京 ラ ウ ン ド 後			
		原 料	半製品	製 品	計	原 料	半製品	製 品	計
日 本		1.4	6.5	12.4	5.4	0.4	4.5	5.9	2.7
		(0.2)	(4.7)	(8.0)	(3.1)	(0.2)	(4.0)	(5.8)	(2.4)
アメリカ		0.7	4.4	8.1	6.3	0.2	3.0	5.6	4.3
E C		0.1	5.5	9.7	6.5	0.1	4.1	6.8	4.6

(注) 1. 税率は1977年の各国輸入額によってウェイトづけした加重平均関税率である．
2. 東京ラウンド前の税率は，1976年譲許税率，または基本税率ベース．
3. 東京ラウンド後の税率は，1987年東京ラウンド最終譲許税率，または基本税率ベース．

った．先進国における逓増的関税構造は，資源保有の発展途上国が未加工原料
輸出から少しでも加工度を高めて輸出しようとする際に妨げになると非難され
ている．

　表6-2は原料，半製品，製品に区分して平均名目関税率をくらべている．東
京ラウンド前には日本の逓増度はアメリカ，ECにくらべて明らかに急であっ
たが，日本は大きな修正を行って，東京ラウンド後にはほぼアメリカ，EC並
みの傾斜になっている．もっとも製品関税の大幅引下げにくらべて半製品関税
の引下げが小さい．しかし全産業での平均値でなく，各産業内で垂直的に連結
する生産段階別の関税率構造（表6-3の名目関税率参照）を見ると，金属，繊
維，紙，林産物などでなお顕著な逓増的構造が残存している．

　もっとも関税の保護効果は名目関税率の大小ではわからない．原料に関税が
かかっているとその分原料コストが高くなって，それを補償するために製品に
関税をかける場合もあるからである．したがって図6-5に示すように，原料・
製品にも関税をかけた結果，付加価値生産額をどれだけ増減するかを測って，
これを有効関税率とよぶ．表6-3で示されるように，有効関税率でも名目関税
率と類似の逓増的構造が見いだされ，しかも生産段階間の格差が大きい．すべ
ての製造業について測ると有効関税率は名目関税率の1.4〜1.5倍になる．4) 緩
和されたとはいえ，逓増的関税構造はなお残り，有効関税率ではその４〜５割

4) 長谷川聡哲氏の回帰係数の計測による．1972, 80, 84年のいずれについても決定係数
　が高く，安定した回帰係数が得られた．

表 6-3　産業別の逓増的関税構造（1984年度） (%)

	名 目 関税率	有 効 関税率		名 目 関税率	有 効 関税率
鉄 鋼 業			繊 維 産 業		
金 属・鉱 業	0	−0.4	製 糸・紡 績	4.8	6.2
銑 鉄・粗 鋼	2.8	3.2	織　　　　　物	9.0	12.3
鋳 鍛 鋼 品	4.4	4.7	その他繊維製品	9.6	12.3
圧 延 製 品	5.0	8.9	ニ ッ ト 製 品	14.8	24.9
			身　廻　品	15.2	20.7
木 材 産 業					
林　　　　　業	0.2	0	紙 産 業		
製 材・木 製 品	1.9	3.6	パ ル プ・紙	1.6	1.4
家　　　　　具	6.0	7.9	紙　製　品	4.8	8.6

（出所）　大蔵省関税局.

図 6-5　逓増的関税構造と有効関税率

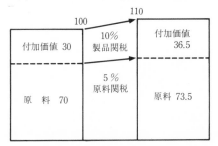

（注）　原料 5 ％, 製品10％の関税構造のもとでは,
　　　付加価値は30から110−73.5＝36.5へ21.7％増
　　　になる. これが製品の有効関税率であり, 見
　　　せかけの名目関税率の10％より保護の程度が
　　　2 倍以上になる.

増の逓増構造になっている.

　なお原料, 中間財にくらべて生産段階で後にくる消費財の関税率は高いが,
消費財のなかで標準品より高級品に高い関税をかけた奢侈関税は現在すべて撤
廃されている.

　産業発展と関税率変化との関係は産業保護主義の推移を見る際重要である.
産業発展を自給率（＝国内生産÷国内消費）で測ることにして, 関税率との関
係を調べる. 鉱工業品関税率は全般的に引き下げられてきていたが, そのなか
でも一般に自給率が上昇し, 輸出化も進んだ品目（自動車, 電気機器, 産業機

表 6-4　主要産業別施策一覧 (1984年度)

	平均関税率	残存輸入制限	対日輸出自主規制	対外輸出自主規制	内国税	補助金
	(%)	(品目数)	(○は一部品目で該当)			
1.　動物および動物性生産品	8.2	7	○		○	◎
2.　植物および植物性生産品	4.2	8	○			◎
3.　油脂およびろう	7.7	0	○			
4.　調整食料品・飲料・たばこ	27.6	7	○		○	○
5.　鉱物性生産品	1.1	1			○	◎
6.　化　学　品	4.6	0		○	○	△
7.　ゴム・プラスチック	4.4	0				
8.　皮　　革	8.7	3			○	
9.　木材製品	0.7	0			○	◎
10.　紙・紙製品	1.8	0				
11.　繊維・繊維製品	6.4	0	○	○	○	△
12.　はきもの・帽子等	12.7	1				
13.　セメント・ガラス等	4.0	0		○		
14.　貴石・貴金属等	0.8	0			○	
15.　鉄鋼およびその製品	4.0	0		○		
16.　非鉄金属およびその製品	6.0	0				△
17.　機械類・電気機器	4.1	0			○	△
18.　輸送機器	3.8	0			○	△
19.　光学機器・時計等	4.3	0			○	△
20.　武　　　器	14.6	0				
21.　家　具　等	5.9	0			○	
22.　雑　　品	7.3	0			○	

(注)　補助金は『補助金総覧』に掲載されている産業経済費のうち特定産業に交付されていることが識別できるもののみ．1000億円以上◎，100億円以上○，10億円以上△．
(出所)　大蔵省関税局．

械類) で関税率の引下げが大きく，逆に国際競争力を失い，自給率が著しく低下した産業 (繊維，加工食料品，一部化学品) で関税引下げが遅らされる傾向がある．しかし自給率が上がり，輸出化した産業のなかにも関税率が据え置かれて，相対的に高関税化した品目 (合成繊維，事務用機械など) もある．第2，第3グループの品目では関税引下げの余地があるといえよう．[5]

しかし，なんといっても高関税が目立つのは農水産物である．たとえばでん

---

5)　市場開放のアクション・プログラム (1985年7月) では他の先進諸国が同調することを条件に鉱工業品関税の全廃を提案している．

ぷん（25％），ブドウ糖（35％），ビスケット（24％），牛肉（25％），オレンジ（20〜40％），果汁（35％），酪農品（25〜35％），ワイン（45％）で，鉱工業品平均の5〜10％をはるかに上回っている．これまでの関税交渉でも聖域視されて除外されてきたためだが，ウルグアイ・ラウンドで初めてその段階的削減に着手された．それを受けて1995年度から農産物（小麦，大麦，乳製品，でんぷん，雑豆，落花生，こんにゃく芋，生糸・まゆ，豚肉）の輸入数量制限が関税化された．残存している輸入制限措置は米と一部水産物のみになった．

　以上日本の関税構造を見てきたが，日本の貿易政策は関税以外にも輸入数量制限，補助金，対外輸出規制，対日輸出規制などの諸措置が組み合わされている．これらは理論的には関税と同じように貿易額に影響を与えるから，これらの諸措置も合わせて，日本の保護政策を全体的に把握する必要がある．表6-4は主要業種について関税以外の諸政策措置の有無を一覧表にしたものである．対外，対内両施策からの保護が比較的厚いのが，動物および動物性生産品，調整食料品，皮革，繊維・繊維製品である．また対外的施策はそれほどでないが国内措置の重いものに，鉱物性生産品，木材製品がある．関税政策の変更にあたっては，当該産業のその他の措置との抱き合わせによって決着を見ることが少なくない．[6]

　他方輸送機械，鉄鋼製品，繊維製品などでは対外輸出が自主規制されている．輸出自主規制は輸出税と同じ輸出抑制効果をもっている．したがって，わが国の関税政策は輸出品目への輸出課税とも組み合わされて運用されてきており，わが国の比較優位構造は輸出入政策の両面で修正されているわけである．

6-4　貿易と独占

　貿易政策問題のなかで貿易による競争圧力や不公正貿易が近年注目を浴びるようになった．独占やカルテルなどの不完全競争が存在する場合について貿易政策の諸効果を分析しよう．

---

6)　第7次市場開放策（1985年4月）における合板関税の引下げと林業の補助金供与の組合せの事例参照．

図 6-6　国内独占と輸入競争圧力

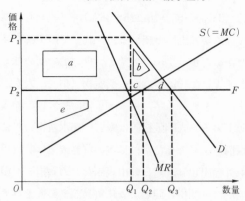

《貿易による競争促進》

　ふたたび図 6-1 にもどるが，国内では多数の生産者ではなく，独占企業ないしはカルテルが存在する場合を想定しよう（図 6-6）．国内で独占ないしはカルテルがある場合には，閉鎖経済下での価格は D, S 曲線の交点ではなく，より高い P_1 に決まってしまう．これに対応する生産量 Q_1 で独占企業の限界費用と限界収入とが一致して，それを P_1 の価格で売れば企業の収益が最大になるからである．もちろん消費者は大きな損失（消費者余剰の減少）をこうむっており，経済全体としても純損失になっている．

　ここで外国貿易が開かれたとしよう．外国供給は図 6-1 の場合と同じく，完全競争価格より低い価格 P_2 で完全に弾力的であるとしよう．この国は当然輸入国になる．しかも輸入競争圧力のもとで独占企業はもはや独占価格を維持できず，国内価格は P_2 まで下がる．消費量は Q_3 まで拡大し，生産量は Q_2，$Q_3 - Q_2$ が輸入される．このときの厚生計算は，貿易をせず独占供給の場合にくらべて，

$$\begin{array}{ll} \text{消費者利益（消費者余剰の増加）} & = a+b+d \\ +）\text{生産者損失（生産者余剰の減少）} & = -a+c \\ \hline \text{純社会利益} & = b+c+d \end{array}$$

となる．つまり生産者から消費者への所得再配分が行われ，独占阻止の利益

$(b+c)$ と貿易の利益（d）から成る純社会利益が生ずる．初め完全競争状態
であれば貿易利益だけであるが，独占供給状態では貿易を通じて輸入競争圧力
が導入されて，独占阻止の利益も加わるのである．

　この独占供給が寡占企業のゆるい結託による場合には，輸入競争圧力のもと
でも独占価格を固持することがある．カルテルでは市場条件の変化に対応して
価格を変更するのが困難で，カルテル価格が硬直的になりやすいことはよく知
られている．その場合国内寡占企業はしだいに国内市場シェアを失っていくが，
価格を固持したまま輸入制限を要求することが多い．これは1960，70年代のア
メリカ鉄鋼業界の輸入増大への対応に典型的に見られた．もし図6-6で国内企
業が P_1 の価格に固執すれば，彼らは市場シェアを完全に失い，消費量 Q_3 は
全量輸入されることになる．その結果消費者利益は変わらないが，生産者余剰
の減少は供給曲線と P_2 線とのあいだの大きさも加わり（$-a-e$），消費者利
益を上回って，社会的純損失になる場合もありうる．国内寡占産業が輸入競争
圧力に硬直的に対応して，産業自体がつぶれ，失業が発生する場合である．も
っともここでの厚生計算は当該産業だけに限られているので，当該産業がつぶ
れてもより有利な他産業に移転できれば経済全体としては利益になりうる．

　独占や寡占は市場経済ではある程度不可避だが，貿易が国内市場の競争圧力
を維持して，効率性を高める役割を果たすことを示しており，自由貿易論の一
つの根拠になろう．

《ダンピング》

　国際貿易での不完全競争の典型としてダンピングがある．これは独占的供給
者が別個の市場で異なった価格で販売するもので，通常独占的供給者が国内市
場でより安い価格で輸出する場合を指す．その標準的ケースは図6-6の延長と
して説明される．

　図6-7で供給曲線，国内需要曲線は図6-6と共通だが，F 線は国内の需給
均衡価格より高く，国内市場で販売すると同時に輸出も行われる．つまり外国
の供給曲線よりも外国の需要曲線になっている．寡占企業は国内では結託して
も，国境を越えてより多くの外国企業と結託することが困難な場合が多い．国

図 6-7　ダンピング（標準ケース）

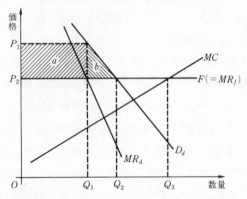

内では右下がりの需要曲線に直面するが，海外市場ではより弾力的な需要曲線に直面していると考えられる．すなわち海外では販売価格を引き下げても，競争企業による価格引下げにあい，また価格を引き上げればシェアを失ってしまう．つまり海外市場では価格に影響力をもたない．

　二つの異なった市場で販売する独占企業の利潤を最大にするには，二つの市場での限界収入を限界費用に等しくすればよい．

$$MR_d = MR_f = MC$$

もし国内でも輸出でも P_2 の共通価格で売ると，国内販売量は Q_2，輸出量は $Q_3 - Q_2$，生産量は Q_3 となって，

$$MR_d（Q_2 \text{ に対応する}）< MR_f = MC（Q_3 \text{ に対応する}）= P_2$$

つまり利潤最大の条件は成り立たない．国内販売からの限界収入は P_2 より低いから，国内販売量を減らし，輸出をふやすことで利潤をふやしうる．同じ Q_3 の生産量でも国内販売量を Q_1 に減らし，輸出を $Q_3 - Q_1$ にすれば，国内販売からの限界収入が P_2 まで高まって，上の利潤最大条件が満たされる．このとき国内価格は P_1 になって，輸出価格 P_2 より高くなる．

　国内販売，輸出とも共通価格 P_2 で行う場合にくらべて，ダンピングの厚生効果は，

図 6-8　過剰設備能力下でのダンピング

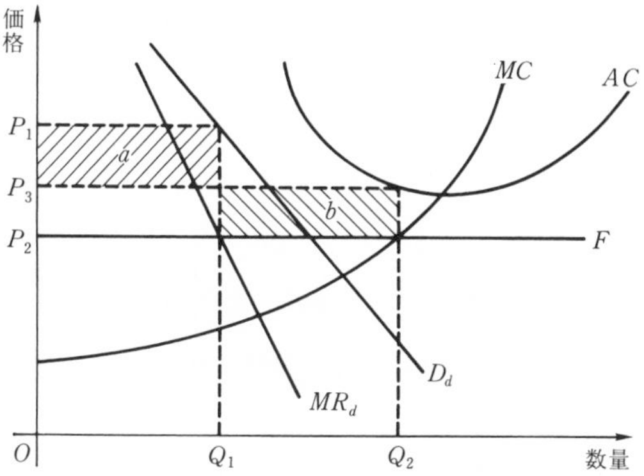

消費者損失＝ $-a-b$

＋）生産者利益＝　　a

純社会利益＝　　$-b$

となり，消費者から生産者への所得再配分で生産者は得するが，社会全体としては純損失になる．

　もっとも国内価格を輸出価格より高くするためには，安い輸出品が外国から再輸入されないよう，関税か輸送費が大きくなければならない．

　現実により多く見られるダンピングは過剰設備能力を抱えた独占企業が，海外市場で安売りして販売拡張するケースである．図6-8では，F も D_d 線も現有設備での平均費用曲線 AC を下回っている．もし国内，輸出とも同一価格（P_2）をつけていたら平均費用はカバーできない場合でも，国内では P_1 価格で Q_1 だけ販売し，輸出には P_2 価格をつけることで，正の利潤をあげられるかもしれない．Q_2 の生産量での平均費用は P_3 であり，国内販売での利益（a）が輸出での損失（b）を上回る場合があるからである．

　もう一つ侵略的ダンピングといわれるケースがある．特定市場を支配する目的で著しく低い価格で販売を行い，競争相手企業をすべて駆逐した後で，価格を引き上げ独占利潤をあげる．ダンピング罪悪論のイメージはここからきているが，この古典的ケースが実現する可能性は小さい．参入障壁がよほど高くないかぎり，競争相手を倒した後も新規参入を阻止するために価格をつり上げら

れず，初めの低価格販売の損失をなかなか償えないからである．ある地域に新規参入したスーパーマーケットなどが開店安売りするのと同じような輸出はよく見られるが，これは一種のマーケティング費であって，侵略的ダンピングに含めるのは無理であろう．

《輸出補助金と相殺関税》*

　ダンピングと同じ効果をもつものに輸出補助金がある．典型的には輸出国政府が輸出業者に輸出数量当りいくらの補助金を支給するもので，輸出業者はその分だけ輸出価格を引き下げることができる．しかしダンピングと同様に輸出補助金も競争貿易条件をゆがめる不公正貿易行為とみなされ，輸入国はそれによって国内産業に損害を受けたか，そのおそれがある場合には所定の手続きにしたがって対抗措置をとってもよいことになっている（GATT第6条．日本では関税定率法第8，9条）．ダンピングの場合には正常価格とダンピング価格との差額以下のダンピング防止税が課され，補助金の場合には補助金相当額以下の相殺関税が課される．

　図6-9では輸出補助金と相殺関税の厚生効果を検討している．図6-1と同じモデルで外国供給が輸出補助金を受けてその分だけ下方にシフトしたとしよう．その結果輸入国での国内価格は OA に下がり，輸入国消費は HE から AC に拡大し，生産は HF から AB に縮小し，輸入は FE から BC に拡大する．輸

図 6-9　輸出補助金と相殺関税の厚生効果

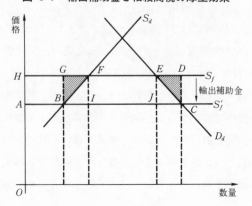

出補助金の輸出入国それぞれに与える厚生効果は，次のとおりである．

消費者余剰増　　$ACEH$ ⎫
生産者余剰減　$-ABFH$ ⎬ 輸入国純利益
輸出補助金　　$-BCDG$ 　輸出国損失[7]
　　　　　　　$-(BFG+CDE)$　　2 国合計の純損失

　これに補助金相当額の相殺関税をかけると，輸入国の国内価格はもとの高さにもどり，消費は減少，生産量は増大する．その厚生効果は，次のとおりである．

消費者余剰減　　$-ACEH$ ⎫
生産者余剰増　　$ABFH$ ⎬ 輸入国損失
輸入国関税収入増　$IJEF$ 　$-(BIF+JCE)$
輸出補助金減少　$BIFG+JCDE$　輸出国利益
　　　　　　　$BFG+CDE$　　2 国合計の純利益

　すなわち輸出補助金による 2 国合計の純損失は，相殺関税による 2 国合計の純利益でちょうど相殺される．すなわち輸出補助金＋相殺関税の厚生効果は資源配分は不変で，ただ補助金＝相殺関税収入分だけ輸出国から輸入国へ所得移転が生ずる．しかし輸出補助金で最も得をするのは輸入国の消費者であり，輸入国だけの厚生効果は純利益になる．他方損失を被るのは輸出国の消費者と輸入国の生産者である．輸出国消費者が苦情をいうことは稀だが，輸入国生産者はしばしば補助金を不公正貿易であると非難する．補助金を不公正であるとする議論は輸入国生産者の利益を強く反映していることが分かる．

《不公正貿易と輸入国利益》

　ダンピングや輸出補助金は本当に不公正か．安い価格で輸入しうることは消費者にとっては利益であり，輸入国だけの厚生効果は純利益になる．

　すでに見たように，明らかに不当だと考えられる侵略的ダンピングのような古典的ケースは稀である．今日のダンピング輸出は政府の補助金を受けた輸出促進措置であったり，量産型生産で固定費が大きく，平均費用以下の差別価格

---

7)　ここでは輸出供給が不変生産費でなされると仮定しているので，輸出国側の厚生効果が簡略化されている．

で輸出しても国内販売と合わせれば利潤を生みうるような場合が多い．輸出補助金にも直接税，間接税，輸入関税の減免や輸出金融優遇制度など種々の形があり，なかには発展途上国が抱える輸出拡大環境の不備を補う要素もあり，輸出国の比較優位パターンを大きく歪めないかぎり認めてもよいとする考えもある．さらに輸出国の消費者や納税者が輸出業者に苦情をいうのならわかる．1960年代半ばにカラーテレビの対米輸出価格が日本国内価格の半値以下という事実が報道されて，消費者側の批判を受けた実例がある．輸入国消費者にとっては補助金によるにせよ，ダンピングによるにせよ安値輸出は歓迎すべきものである．

　もっとも近年輸出補助措置が貿易摩擦の原因になっている．ダンピング提訴や相殺関税提訴がアメリカや EC でふえてきた．各国ともダンピング防止規定はもっていてもこれまで実際に適用した例は少なかった．提訴されても「価格差あり」，「被害あり」として最終的に対抗措置がとられるのは稀であった．しかしアメリカでは1960年代末からこうした発動例がふえてきた．しかもダンピング提訴・調査と並行して，輸出自主規制の打診が行われ，妥結がはかられるケースが繰り返された．8) 提訴・調査手続きがとられるだけで輸入抑制効果をもつので，このような傾向を「手続き保護主義」と批判する声もある．

　日本もこれまではもっぱら欧米市場でダンピング提訴を受ける側であったが，1982年末に日本紡績協会が韓国産綿糸輸入にダンピング関税の適用を，パキスタン産綿糸輸入に輸出補助金を受けたという理由で相殺関税の適用を訴えた．ダンピング関税，相殺関税とも日本で初めての提訴であった．政府はこれを受けて調査を開始したが，このうち韓国産綿糸については韓国紡績協会が輸出自主規制を約束したために提訴を取り下げ，パキスタン産綿糸についてはパキスタン政府が輸出補助金を中止したので調査が中断された経緯がある．

　国際貿易における公的制限には，このほかにも OPEC のような国際カルテル，錫・銅などの国際商品協定，国際繊維協定（MFA）に見られる管理貿易協定まで多様である．9) これらはいずれも民間企業によるよりも国家間の協定

---

8),9)　国際繊維取決めおよび輸出自主規制の増加については第7章7-3参照．

によって導入されたことに特徴があるが，競争制限効果をもつことは明らかであり，それがGATT自由貿易体制を侵食してきた．GATTウルグアイ・ラウンド交渉ではこれら公的競争制限を最小限に抑えて，GATT体制を補強する措置が盛り込まれている．MFAは10年間で段階的に撤廃することに決まったし，輸出自主規制の新設は禁止され，既存のものは原則4年で撤廃される．反ダンピング規制の恣意的な認定も抑制され，紛争処理手続きも効率化された．GATTの補助金・相殺関税コードには廃止されるべき輸出補助金が明示され，対抗措置やその発動条件も強化された．

【練習問題】

(1) 関税，輸入数量制限，輸出数量規制の共通点，相違点を整理してみよう．後の二つは関税と同じ効果をもつのに，なぜ関税だけにすることができないのだろうか．

(2) 財政関税と対比して，産業保護関税の特徴を述べなさい．

(3) 幼稚産業保護論はよく用いられるが，どれだけ根拠があるだろうか．乗用車，鉄鋼，コンピュータなど特定産業を取り上げて，発展過程と政策的保護の経緯を調べて，幼稚産業保護が正当化されるか評価してみよ．

(4) 第2次大戦前の日本の貿易政策はどのように特徴づけられるか．

(5) 高度成長期の日本の貿易政策は保護貿易的であったか，自由貿易的であったか，あなたの判断を述べ，理由を説明せよ．

(6) 工業生産を一定量ふやすかわりに，工業品輸入を一定量減らすのを目指すならば，生産補助金より関税のほうがコストが小さい．図解して説明せよ．

(7) 次の陳述を図解し（縦・横軸に取った変量名，曲線名など明記），短い文章説明を加えよ．

    1) 輸出補助金は輸入国の生産者と消費者に相反する厚生効果を与える．

    2) 国内生産に同じ保護を加えるには関税より生産補助金のほうが資源配分の損失は小さい．

    3) 輸入品の価格が低落したとき，輸入競争産業から輸出産業へ生産要

素移動が速やかに行われない場合には調整コストが生ずる.

(8) 正誤問題

1) 輸出自主規制は貿易摩擦の最も有効な解決策である.

2) 10%の輸入関税は輸入競争生産者の所得を10%引き上げる効果をもつ.

3) 低賃金国からの輸入は, 自国の労働者の賃金を引き下げる傾向があるから, 不公正貿易として制限すべきである.

(9) 一般特恵関税制度のもとで発展途上国の輸出が増加する仕組みを理論的に説明せよ. 特恵マージン (発展途上国向けの関税減免分) が価格引下げにならない場合はどうか.

(10) ダンピングや輸出補助金は不公正な行為とみなされ, GATT でも輸入国が対抗措置をとることが認められている. それがどの程度に不公正であり, 対抗措置はどれだけ有効か.

(11) 1985年当時, アメリカでは市場開放が不十分な国からの輸入に対して課徴金をかけろとの主張が盛んに行われた. これはどのような関税論であろうか. 関税は目的を達成する有効な手段であろうか. 本章の分析にならってあなた自身で評価してみよ.

(12) ASEAN 諸国や中国では鉄鋼・石油化学・自動車産業等で幼稚産業保護論が高まっている. 本章で見たように日本はこのいずれの産業も幼稚産業保護で発展させてきたことを考えると, このような動きを一概に否定できないが, はたして, 現在の産業事情のもとで幼稚産業保護は有効だろうか. 次の諸点を考慮に入れて, これらの諸国への提言をまとめてみよ.

①外国企業の活発な参加

②技術進歩が急速

③国内市場規模

第7章

貿易摩擦と産業調整

　近年，貿易摩擦解消は日本の対外経済政策の最重要課題となってきた．貿易は双方に利益になるから行われるのであって，貿易摩擦は一方がその利益に不満があることの現れである．現在の対日市場開放要求は日本からの輸出にくらべて日本への輸入が少ないという不満の形をとっている．とくに1980年代以降，日本はアメリカ，ヨーロッパ，アジアの主要貿易相手国に対して大幅な貿易黒字を持続させたため，日本の対世界貿易収支黒字と相まって，きびしい貿易摩擦，輸入拡大要求に直面している．政府は内需振興や円高化のマクロ調整に加えて，一方的関税引下げ，市場開放行動計画，日米構造協議等の対応策を実施してきたが，大幅な黒字パターンは改まらない．日本産業の構造調整自体が必要とされているのである．

　本章では，この貿易摩擦問題を理論面，実態面の双方から分析する．そして貿易摩擦への消極的および積極的対応の区分けに沿って，日本の産業調整の進め方を検討する．最後に日本の国際分業のあるべき姿を描き出したい．

7-1　貿易摩擦問題

《多発する貿易摩擦》

　日本の工業品輸出が摩擦問題を引き起こすのはけっして新しい現象ではない．すでに1920〜30年代に日本製綿織物・絹織物はインド，カナダ，オーストラリ

アで輸入制限措置に遭遇している．第2次大戦後も1950年代の初めから，まぐ
ろ缶詰，ミシン，陶磁器，綿製品の対米輸出や未晒綿布の対英輸出に対する制
限運動が起こっている．1960年代には，日本の輸出品の高度化にともなって，
化合繊織物，鋼材，板ガラス，トランジスタラジオ輸出の低価格や数量急増が
問題となった．それが，1970年代には自動車，家電へ，1980年代には産業機械
などへ移ってきたわけである．このように日本は新しい輸出品を開発するたび
に，輸出先の欧米市場で輸出価格の低さや数量急増について批判を受け，輸入
制限要求に遭遇するという形の貿易摩擦を経験してきたのである．

　もっとも，このような貿易摩擦は日本だけに限らない．欧米間でも貿易摩擦
の例は少なくない．アメリカの対欧合繊輸出（1979〜80年）やヨーロッパの対
米鉄鋼輸出（1980〜82年）の例がある．さらに1970年代末からアジア，ラテ
ン・アメリカ，ヨーロッパの新興工業国からの繊維，雑貨品輸入急増に対して，
欧米市場で激しい輸入抑制運動が起こった．日本でも中国，韓国からの生糸，
絹製品，綿製品輸入増加に対して制限措置がとられた．

　1980年代を通じての顕著な傾向は，それが特定の産業分野に限定されず，日
本と相手国との貿易収支不均衡のような総体的関係が摩擦の種になってきてい
ることである．日本企業の輸出ビヘイビアのみならず，日本政府の通商・産業
政策，さらに広くマクロ経済・為替政策に対する批判が，首脳会談やOECD
閣僚会議その他いろいろな機会に発言されてきている．いずれも，対日貿易収
支大幅赤字の是正を要求して，日本側の輸入拡大，市場開放を求めている．日
本側もそれに応えて毎年のように対外経済対策（1981〜84年）や市場開放行動
計画（1985年）を打ち出してきている．

　アジアの発展途上国とのあいだでは総体的関係での摩擦現象が1970年代初め
から生じていた．東アジアの新興工業国やASEAN諸国は，政府ないし経済
界代表の2国間協議が行われるごとに，対日片貿易を是正するための対日輸出
増大を要求しており，ときには日本品不買運動にまでエスカレートしかけたこ
ともあった．1980年代に入ってこれらのアジア諸国の対日市場開放要求はさら
にエスカレートした．タイの骨なし鶏肉とかインドネシアの合板などのシンボ
ル品目が喧伝されたが，総体的摩擦が基本にある．他方，日本の原料供給国と

の関係は良好である．日本側の赤字であり，日本側の素原料のままでの輸入継続と，相手側の加工度を高めての輸出要求をめぐって利害対立はあるが，上述のような摩擦にはいたっていない．

《貿易摩擦の諸原因》

　このような貿易摩擦の原因はなんであろうか．次の諸要因が複雑にからみあって貿易摩擦を生じている．第1に，各国間の工業発展の格差がある．第2次大戦後の復興を終えた1950年代半ばから，すでに先進諸国で，工業生産増加率や生産性上昇率の大きい西ドイツ，イタリア，日本とそれが小さいイギリス，アメリカ，フランスとのあいだに格差が生じてきた．さらに，1970年代以降発展途上国にも工業化が広まって，その一部にはとくに工業成長が著しい新興工業国グループが現れてきた．工業成長格差は工業品の国際競争力に顕著に現れた．一般に工業成長の速い国ほど，最新技術の成果と規模経済を享受して，より効率的な生産を行っている．そしてしばしば生産増加は内需成長を上回って，強い輸出ドライブがかかった．さらに新興工業国はもちろん，西ドイツ，イタリア，日本もその戦後成長の初期には他の先進諸国にくらべて労働コストが割安であった．これらの要因が輸出増加率格差を生み出した．

　第2に，1970年代以降の先進国経済の成熟化が貿易摩擦を激化させた．石油危機を契機に先進諸国は軒並み低成長に転じたが，各国とも高成長時代からもち越した過剰設備の負担に苦しみ，失業の増加とインフレーションの進行，石油価格上昇による貿易収支赤字圧力に悩んだ．マクロ経済の全般的悪化のなかで，成長産業への投資も不振で，産業間，地域間の労働移動も不活発になった．この成熟化現象も先進国間で格差が見られる．

　第3に，このような各国間の成長格差にもかかわらず，各国間の貿易・投資が増大しているということである．第5章5-4で詳しく調べたように各国間の相互依存関係はいっそう強化されている（表5-4参照）．

　貿易摩擦の第4の要因としては，各国間のマクロ経済政策の調整や為替相場の調整が不十分で，各国の総体的不均衡がすみやかに解消されないことがあげられる．1980年代にはマクロ経済不均衡が拡大した．第2次石油危機

170

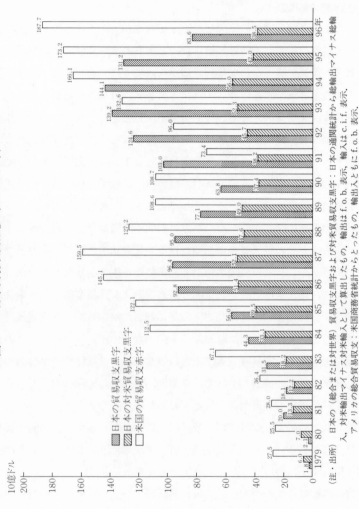

図 7-1　日米貿易収支推移（1979〜96年）

（凡例）
日本の貿易収支黒字
日本の対米貿易収支黒字
米国の貿易収支赤字

（注・出所）日本（総合または対世界）貿易収支黒字および対米貿易収支黒字：日本の通関統計から算出したもの。輸出はf.o.b.表示、輸入はc.i.f.表示。日本の対米貿易収支黒字：日本の通関統計から算出したもの。輸出入ともにf.o.b.表示。アメリカの総合貿易収支：米国商務省統計からとったもの。輸出入ともにf.o.b.表示。

（1979〜80年）の後でアメリカと日本・西ドイツとでマクロ経済調整に食い違いが生じて，石油価格高・金利高・ドル高の三高現象（1981〜83年）が生じたし，1985〜86年までにそのいずれもが解消した後までも，主要国間のマクロ不均衡は存続した．アメリカは高成長を続けながら双子の赤字をさらに悪化させたのに，日本・西ドイツは低成長に悩みながら経常収支黒字を拡大させたのである．日米 2 国間では収支不均衡が1987年まで拡大し続けた（図 7-1 参照）．

1985年 9 月の G 5 （5 先進国会議）で為替調整を行う合意が成立し，円ドル相場は 3 年間でほぼ 2 倍の円高になった（図 2-5 参照）．このため一時は深刻な円高不況になったが，金融緩和・財政支出拡大を通じて内需先導的な景気拡大に成功して，第 2 次大戦後最長の58カ月間持続した．しかし貿易収支・経常収支黒字の解消には時間がかかり，その間にきびしい総体的摩擦を経験したのである（図 7-1 参照）．

　2 国間収支は貿易パターンを反映しており，日本の場合は工業品貿易の黒字が 1 次産品輸入で相殺される傾向がある．しかし，対日赤字の裏に日本の総合黒字と相手国の総合赤字が重なると，対日赤字を総合収支不均衡に結びつけやすく，黒字国日本に対して調整の負担を求める声が強くなるのは避けがたい．そして第 2 章2-4で述べたように現在の変動相場制は各国の総合収支不均衡をすみやかに調整する機能を果たしていない．

　最後に，先進国，発展途上国双方で市場メカニズムへの政策的介入が常態化していることも貿易摩擦を強めている．発展途上国では強力なてこ入れによる工業化，輸出促進政策をとっているところが多い．他方，先進国では国内輸入競争産業からの救済要求に押されて政府の保護貿易，調整援助が拡大している．先進国での失業や企業経営困難，発展途上国での輸出の伸び悩みや国際収支赤字などが，容易に 2 国間の政治問題化する素地がすでに醸成されている．一国の産業政策が相手国から批判され，貿易摩擦の原因となることも少なくない．

《個別産業摩擦と総体的摩擦》

　最近顕著な総体的貿易摩擦は，個別産業の貿易摩擦の多発に，マクロ経済調整不十分が加わったものである．ヨーロッパ，アメリカとも対日貿易赤字を総

体的収支不均衡の一部としてよりも，ネットの雇用機会の喪失とみなしていることにも個別的貿易摩擦との共通性がある．多くの輸入競争産業で輸入増加と雇用減少が生じて，しかも輸出産業は不振で十分な雇用吸収と輸出増加を生み出さなければ，経済全体として貿易収支赤字と失業を生む．他方輸出国側で個別産業の競争力が強化され，収支が黒字化する．為替安や内需不振が輸出ドライブを促して，個別に産業摩擦を多発する．貿易摩擦解消のためには，個別産業での摩擦解消の努力とともに，マクロ経済調整が不可欠である．

正統的なマクロ経済調整手段は有効需要増減と為替調整である．1977～78年に首脳会談で唱導された機関車論は，黒字国グループが積極的支出拡大政策をとって，拡大均衡的に不均衡を解消しようというものであったが，第2次石油危機とインフレ抑制の激動のなかで限定的な成果しかあげなかった．1973年以来続いている変動相場制も各国の収支不均衡をすみやかに調整する機能を果たしていない．こうしたなかで，より直接的，即効的な輸入制限・輸出制限導入の要求が強まった．総体的摩擦のもとでは，個別産業摩擦を管理貿易的措置で緩和しようという傾向が強くなるようである．また市場開放行動計画や日米構造協議に現れたように，企業行動パターンや経済諸制度の是非までもが論議されるようになるのも，総体的摩擦の特徴であろう．

7-2 調整コストの考え方

第2章で説明したように貿易を行えば輸出国，輸入国双方が利益を受ける．自国で生産すると割高になる商品は国内生産を減らして，輸入をふやしたほうがよい．これまでその商品の生産に携わっていた労働者や資本設備は，他のより割安に生産できる商品の生産に移して，輸出をふやせばよい．これが第2章で説明した貿易利益であり，自国貿易論の基礎になっている．しかし現実には輸入増加があまりに急であったり，生産要素の移動が迅速に進まないために国内の生産調整が間に合わず，期待どおりの貿易利益が実現されないことがある．これが個別産業貿易摩擦の直接的原因になる．この現実の生産調整にはコストがかかることを考えて，貿易摩擦に対応しなければならない．

《調整コストの理論モデル》

　図7-2にはヘクシャー゠オリーン型の2財・2要素貿易モデルを描いてある．Xは輸出可能財（たとえば自動車），Mは輸入可能財（たとえば繊維品）であり，曲線$T_1P_1T_2$は変形曲線であって，世界価格αのもとで，P_1で生産，C_1で消費している．$C_1O_2P_1$が貿易の三角形である．いま発展途上国の繊維産業が発達して，M財の世界価格が低下，世界価格線がβに変わったとしよう．これに対応して自国の生産点をP_2に，消費点をC_2に移動できれば，C_1より高い実質所得が達成できる．M産業からX産業へ生産要素が再配分されて，貿易利益が実現する．

　しかしM産業の生産要素のなかには機械設備や従業員の熟練のように，M財生産には有用でも早急にはX財生産向けに転用できないものがある．それは一定期間内では産業間移動の困難な特殊生産要素（これを資本で代表させておく）である．これに対して未熟練労働のような生産要素は容易にX財生産向けに転用できる一般生産要素（これを労働で代表させる）である．しかし，一般生産要素であっても従来より低い報酬では雇用できない下方硬直性がある

**図 7-2　輸入価格低下にともなう
調整コスト**

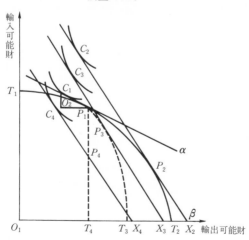

ことが知られている．この㈦特殊生産要素の移動不能性と㈠一般生産要素報酬
の下方硬直性の二つがあるために，産業間の要素移動が理論の期待どおりに進
まず，(P_2, C_2) の均衡が達成できない．

労働が産業間を移動する誘因は賃金格差である．各産業での賃金（W）は，
各財生産の労働の限界生産物（MPL）に価格（P）を乗じたものである．

$$W_M = MPL_M \cdot P_M$$
$$W_X = MPL_X \cdot P_X$$

労働の限界生産物はこのモデルではもっぱら資本労働比率で決まる．初め世界
価格 α のもとで両産業で賃金は等しかった（$W_M = W_X$）が，β のもとで P_M
が低下したために M 産業のほうで低くなった（$W_M < W_X$）．その結果労働は
M 産業から X 産業に移動する．資本は移動しないから，資本労働比率は M
産業では上がり X 産業では下がる．労働の限界生産物は M 産業で上がり P_M
の低下をちょうど相殺する点で賃金格差がなくなり，労働移動は停止する．

M の生産は減少し，X の生産は増加するが，これは P_1T_2 上をたどってい
るのではない．労働は両産業間に賃金が均等になるように配分されたが，資本
は移動せず，M 産業では資本の報酬は低いままだからである．つまり，P_1T_2
の内側にとどまる．P_1T_3 は資本は移動せず，労働のみが再配分される場合の
変形曲線を表わしており，その上の (P_3, C_3) 点が新たな均衡点になる．

さらに㈠の制約が働くと，労働の調整もスムーズにはいかない．いま X 財
が賃金財だとすると，どちらの産業も W_X/P_X，W_M/P_X の初めの値より低い
賃金では労働を雇用できない．上述の調整過程で，M 産業では P_M の低下分
を相殺するだけ労働の限界生産物が高まるまで（つまり資本労働比率を高め
る），労働雇用を減らさなければならない．他方，X 産業では労働雇用を増す
と，労働の限界生産物が低下してしまうから，現行賃金では雇用をふやせない．
すなわち，労働の失業が生じる．この場合 M の生産は減少するが，X の生産
は不変だから，P_1T_4 上の P_4 点で生産が行われよう．図のように P_4 点が低い
とき，消費点 C_4 では初めの C_1 より低い実質所得になる．

他方，M 財が賃金財ならば，この調整過程で賃金は従来水準より低くなら
ないから，㈠の制約は働かず，労働の失業は生じない．前述の P_3 点で生産が

行われよう．X と M の複合財で賃金が測られる通常の場合には，P_3 と P_4 の中間に生産点が決まる．つまり，M 産業で解雇された労働の一部分は X 産業に再雇用されるが，残りは失業する．

　いずれにせよ，一定期間内は(イ)，(ロ)の制約が働くために，$(P_2,\ C_2)$ の均衡は達成されない．$(P_3,\ C_3)'$ や $(P_4,\ C_4)$ で達成される実質所得は C_2 点より，X 財で測って $\overline{X_2X_3}$，$\overline{X_2X_4}$ だけ小さい．この所得の損失分が「調整コスト」である．この調整コストはいわば経済全体として被る所得損失（社会的コスト）だが，X 産業で失業した労働者や低報酬に甘んじる資本の所有者の所得損失（私的コスト）はさらに大きくなる．輸入の利益に反対して輸入制限要求を起こすのは，このような社会的，私的調整コストがあるからである．M 産業が特定地域に偏在する場合には，この私的調整コストはさらに大きな輸入抑止力をもつであろう．

《調整援助の役割》

　(イ)，(ロ)の制約がどの程度働くか，したがって調整コストがどれだけになるかは，もろもろの要因に依存する．まず輸入増加の速さによって調整に費やす期間が決まる．調整期間が長くなるほど，資本設備の償却も進み，熟練労働の再訓練もできて，他産業に転用できない特殊生産要素は減少する．その国の企業家や労働者の転換能力が高ければ，生産要素の配分調整も容易に行われるが，一般に成熟段階に達した先進国経済ではこのような調整が遅い．他方，X 財産業で技術進歩が活発であれば，労働の限界生産物はつねに引き上げられていくから(ロ)の制約が働かず，労働の再雇用が進んで，失業は生じがたい．

　さて，欧米先進諸国経済の現状にもどろう．成熟段階に達して，低成長下にある国々では生産要素の産業間移動も不活発であり，輸出産業でも技術進歩も遅い．このような国々に他の先進国や発展途上国品の輸入増大があると，産業間要素移動の(イ)，(ロ)の制約は大きくなり，調整コストは大きく，失業も増大しよう．これが貿易摩擦を生み出すメカニズムである．

　調整コストの視点は貿易摩擦の解消に重要な示唆を与えてくれる．つまり，輸出国，輸入国双方が摩擦の原因になっているということである．調整の遅れ

をすべて輸入国側の責任として負わせて，輸出国はなにもしなくともよいという議論は，摩擦の本質を見落としているものである．

このような調整の必要性と高いコストに直面した輸入国にとって2通りの対応の仕方がある．一つは，調整の原因となった貿易機会そのものを抑制することである．図7-2では世界価格の変化 $\alpha \to \beta$ そのものを相殺して，国内生産の調整を行わずにすませることである．理論的には M 財に輸入関税をかけて P_M を高めて，$\beta \to \alpha$ にもどすことができるが，現実には輸入国自体による輸入数量制限や，輸出国に働きかけて輸出自主規制を強要するといった，より直接的な政策がとられることが多い．これらを防衛的対応とよぼう．

もう一つの対応の仕方は，世界価格の変化をそのまま受け入れて，M 産業から X 産業への要素移動を政策的に援助して，できるだけ P_2 に近い調整を実現しようとするものである．産業調整援助政策とよばれるものであり，国際産業協力もこの範疇に含められよう．これを積極的対応とよぼう．国際分業の利益を享受して，世界経済を拡大均衡させるには，当然積極的対応のほうが望ましい．

7-3　貿易摩擦への対応策

《種々の防衛的対応》

輸入数量制限と輸出自主規制とは経済効果は同じである（第6章参照）．どちらにせよ輸入国での供給が制限されて，国内価格が引き上げられ，消費は減るが，国内生産はふえる（資源の誤配分効果）．消費者が不利になり，生産者が有利化する（所得再配分効果）．いずれも図7-2での価格変化（$\alpha \to \beta$）を相殺して M 産業から X 産業への生産要素の移転圧力を減らす．その意味で防衛的対応の典型である．

GATT第19条は，特定商品の輸入急増に対する調整コストが大きい場合には，セーフガード（緊急避難措置）として一時的輸入数量制限を認めている．ただしGATTの自由・無差別・相互主義の原則に矛盾しないように，セーフガードの発動に条件をつけた．それは緊急輸入制限をすべての輸出国に無差別

に適用することであり，かつ輸出国側に対応措置をとることを許した．どちらの条件も輸出急増国以外の輸出国を巻き込み，セーフガードの発動をためらわせる要因になる．さらに輸入急増による被害の実証のGATTへの提出を義務づけているが，これをすみやかに行うのは容易でない．このため，多くの輸入国がGATT第19条によるセーフガードの発動よりも，GATTでは認められていない輸出自主規制に訴えてきた．

　輸出国側にも輸入数量制限を発動されるよりも，輸出自主規制のほうを好む理由がある．緊急輸入制限とはいっても，いったん発動されるとなかなか解除されないからである．輸出自主規制のほうは状況が好転すれば，弾力的に規制を緩和したり，撤廃できる．さらに数量規制と組み合わせて輸出価格を引き上げる場合には，その分だけ輸出国側にとって有利になる．日本の産業が欧米市場で貿易摩擦を生ずると，もっぱら輸出自主規制で対応してきたのには，このような考慮も働いていたのである．

　一般に，保護貿易措置は輸入国内に既得権益を生じさせ，規制そのものを長期化させる傾向がある．所得再配分効果で有利になる生産者は既得権益の維持を強く働きかけるのに，不利となる消費者のほうは多数でもほとんど組織化されていないからである．輸出自主規制では，輸出国側にも既得権益を生じさせる．輸出カルテルでは過去の輸出実績にもとづいて輸出シェアが決められ，それが固定されやすい．輸出実績の大きい有力企業にとっては，新規参入が排除され，競争圧力が抑制されて，居心地のよい市場状態がつくり出されるからである．

　しかし，このような競争制限や前述の資源誤配分のコストは長期的には大きくなる．ドイツのように輸出国側での輸出カルテルを認めない国もある．輸出自主規制を多用するよりもGATTで認めたセーフガードを発動すべきだという意見も強い．特定輸出急増国だけへの選択的適用を認めてセーフガードを発動しやすくするという，弾力化提案が東京ラウンドの国際貿易交渉（1973～79年）で審議されたが，決着をみなかった．ここでは理論的最適性と現実的機動性のどちらをとるかの問題になるが，ウルグアイ・ラウンド交渉では選択的適用に譲歩して，輸出伸び率の大きい国に対して，協議のうえで，差別的シェア

割当てをしてもよいとしている。

　輸出自主規制はとかくエスカレートしやすい。特定品目，特定市場で輸出自主規制が実施されると，輸出企業間の競争は関連品目，隣接市場に移っていき，そこで輸入急増問題を引き起こして，輸出自主規制が導入される。繊維品の輸出規制が綿製品から毛・化合繊製品に拡大され，鉄鋼の輸出規制が普通鋼から特殊鋼に拡大された実例もある。また乗用車の対米輸出規制がスタートすると，西ヨーロッパ市場からも輸出自主規制が要請される類である。これは輸入制限その他の保護貿易措置にも共通している。

《管理貿易化の進行》

　さらに輸出自主規制では根本的な解決にならず，より包括的な規制措置にまで強められる傾向がある。前述のように規制対象が拡大する傾向があり，自主規制方式では制限しうる限度があるからである。綿製品では2国間での輸出自主規制をくり返した後，1962年に主要輸出国，輸入国を含めた多国間の長期協定（LTA）が結ばれた。1960年代末から毛・化合繊製品も対象として自主規制がアメリカと日本，香港，台湾，韓国の主要輸出国とのあいだで決められたのちに，1974年他の輸出入国も含めた国際繊維協定（MFA）が成立した。

　MFAの特色は，その第4条において長期間（4年間）の品目別，国別輸入数量割当てを認めたことである。各輸入国は主要輸出国と2国間協定を結んで，品目別に輸入割当量を決める。これは前述のGATTの原則をかなり逸脱するが，アメリカの強い影響のもとでGATTはこれを認めた。もっともMFAの初めの協定には輸出の秩序ある拡大を保証する年率6％の輸入割当拡大や，前年未消化分の翌年への繰り越し，品目間の割当量の融通など輸入割当ての弾力的適用が含まれていた。そしてジュネーブに輸出入国代表8カ国からなる繊維監視委員会（TSB）が設置されて，個々の2国間協定の適否を審査している。

　この管理貿易体制のもとで欧米諸国への繊維品の秩序ある輸出が実現して，繊維品貿易をめぐる摩擦が回避されたことは事実である。しかし1978年にこのMFAが延長されたときには，必要に応じて割当量の拡大を小幅にしたり，割当制限をよりきびしく適用する，MFAの条項からの「合理的逸脱」が導入さ

れた．繊維輸入の伸びはより小さく抑制され，輸出国側の不満は高まった．1982年1月からのMFA IIIの交渉にあたっては，輸入割当ての増加率を内需の増加率（1〜1.5%）に抑え，不況時には割当量の減少も盛り込もうとするEC諸国と，MFAのいっそう弾力的な適用を求める発展途上国とのあいだの対立で交渉が難航し，期限ぎりぎりでMFA IIの単純延長が決まった経緯がある．

　MFAは1986年にも再度延長され（MFA IV），1992年中も継続した．先進国の産業に息つぎの調整期間を与えるという名目で始まったのが，すでに18年経過した．このように長引いた理由は，前述のように輸入国・輸出国双方で生産者に既得権益が発生して，それを改めようとする機運が抑えられたからである．しかしMFAに対する輸出途上国側の不満は大きく，ウルグアイ・ラウンド交渉では，MFAを10年かけて段階的に解消することが合意されている．

　アメリカ向け鉄鋼輸出も日本が2度輸出自主規制（1969〜71年および1972〜74年）をくり返したのちに，輸入制限立法化が再燃し1978年4月からトリガー・プライス制度が発足した．これは日本での鉄鋼生産費を基準に最低輸出価格を定め，それを下回って輸入された場合には即座にダンピング調査が開始されるというものである．トリガー・プライス制のもとでアメリカの国内鋼材価格が高く定められて，日米鉄鋼業間の協調が保たれた．しかし西欧および新興工業国からの鉄鋼輸出が増加して日本の輸出減少分を埋め，米欧間で鉄鋼貿易摩擦が再燃した．トリガー・プライス制は1986年で停止され，自主規制が復活したが，毎年輸出入国間の摩擦が続いた．ウルグアイ・ラウンド交渉と並行して，より包括的な国際鉄鋼協定（MSA）の発足が議論されている．

　また1979年以来続いてきた自動車の対米輸出摩擦問題も，1年後の国際貿易委員会（ITC）「白」審決でも解消せず，1981年5月通産大臣とアメリカ通商代表部（USTR）代表の会談によって，1981，1982年度の日本側の輸出自主規制措置の公表で一応落着した．ここでは日本側の輸出急増だけでなく，アメリカ自動車産業の需要変化への対応や技術革新の遅れが背景にあった．しかし自動車産業での経営不振や失業増大がアメリカ経済に及ぼす影響が大きく，調整コストが大きく見積もられて，上述の対応になったものである．この輸出自主

規制は1993年度まで継続しているが，日本企業はこれに対応して現地生産化を進めた．1992年には日本企業による米国内生産台数は160万台に達し，他方日本からの完成車輸出はすでに規制枠の165万台を下回っている．

　管理貿易体制の最大の欠陥は，過去の輸出実績にもとづいて割当配分を行う結果，最も効率的な新規参入者を排除することである．これは新興工業国に最も不利に働き，その潜在的成長力の芽を摘むとともに，先進国市場での競争圧力を減じて，効率化努力を鈍らせる．繊維においても鉄鋼においても，日本は現在なお純輸出国であって，輸入制限は行っていない．しかし，どちらでも韓国などの新興工業国の追い上げを受けており，国内業界の輸出国からの対日輸入制限を要求する声も聞かれる．しかし日本が欧米諸国に安易に追随して輸入制限に踏み切ると，世界の管理貿易体制はいっそう固められよう．むしろ一部製品での輸入増加を許しながら，現在の管理貿易体制化傾向を阻止し，逆に緩和の方向に転ずる努力を続けるべきであろう．ウルグアイ・ラウンド交渉でも輸出自主規制の新設を禁止し，既存のものも原則として4年以内に撤廃することが合意された．

《積極的調整政策》

　ある産業の国際競争力が低下した場合，輸入を制限して国内生産を防衛するよりも積極的に競争力の強い産業への転換を促す調整援助のほうが望ましい．それによって先進国間でも拡大均衡的分業パターンが維持できるし，新興工業国の潜在的成長をも組み入れることができるからである．

　多くの先進国がすでに1950年代からなんらかの調整援助政策をとってきたし，とくに1970年代の後半以降の経済困難のなかでそれらは強化され，拡充されてきた．しかし，その目的はさまざまである．政府が積極的にてこ入れして産業構造変化を促進しようとするもの，経済成長過程での衰退地域や産業の転換を促進するもの，輸入増加により被害をこうむった企業・労働者の救済，より一般的に経営困難に陥った企業の救済などである．援助措置もさまざまであり，なかには非効率な企業を生き延びさせる，上述の積極的対応と矛盾するものもある．1978年10月のOECD閣僚理事会は，積極的産業調整政策（Positive

Adjustment Policy, PAP と略記）の考え方を打ち出して，加盟各国の産業調整援助政策を積極的対応の方向に整えようと試みた．その概要は次のとおりである．

（1）　市場メカニズムが働くなかでの個別企業の調整努力を活かすためには，すべての企業，産業に適用される一般的な雇用援助や地域援助，技術援助政策が望ましい．しかし，特定産業の調整がきわめて困難で，調整コストも甚大である場合には，その産業のみを対象とした特定産業政策もいたしかたない．

（2）　積極的に産業構造変化を促進するために，picking the winner（競馬用語で，「勝馬を当てる」が原意）の方針が推奨されることがあった．有望産業を選別し，政策的援助を集中して，効率的に産業構造転換を進めるという考え方である．しかし有望産業の選別を政府が行うことは現実には困難であり，しばしば backing the loser（敗者保護）になりかねない．

（3）　特定産業政策ではたんなる経営困難企業の救済ではなく，陳腐化設備廃棄や経営再建を織り込んで，前向きの調整援助にしなければならない．しかしそこでも市場メカニズムの働きが活かされるように，援助は期間を限って逓減させていく，援助の費用，便益を明示して援助政策の透明度を高める，民間資本を参加させて危険分担させる，国内外の競争条件を維持するなどの配慮が必要である．

貿易摩擦ではしばしば相手側の調整援助政策そのものが批判される．最近のダンピング提訴では，輸出国政府側での国内調整援助政策が実質的な輸出補助効果をもつことが槍玉にあげられることが多い．今後先進諸国間では，OECDなどの場で各国の調整援助政策の多国間監視と調整の機会がふえていくと思われる．その際望ましい調整援助の規範として PAP が使われることになろう．

7-4　日本の産業調整

近年日本でも比較劣位化した産業（図7-2の M 産業）で調整困難が現れはじめ，輸入制限措置と並んで，調整を促進する種々の調整援助策がとられてきた．1960年代以降日本経済が直面した産業調整問題を年代順に展望してみよう．

《日本の産業調整問題》

　すでに1960年代の高度成長下で産業調整問題を経験した．労働力不足と賃金上昇が進行するなかで労働集約産業も急激な構造調整を経験した．造花やクリスマス用電球などの1950年代の花形雑貨輸出品が早々と姿を消し，高付加価値の玩具，楽器などのみが存続している．

　1950年代には日本の総輸出の40％近くを供給した繊維産業も，1960，70年代を通じて輸出減，輸入増を経験した．1960年には38.3％を占めた輸出・生産比率は，大きな上下をくり返しながら1991年には15.6％に低下した．この輸出比率減少は対米輸出自主規制や国際取決めとともに，後発国の繊維工業化の追いつきと日本の競争力減退の結果である．他方，輸入・内需比率は1960年代末からふえはじめ，3度の円相場急騰と輸入ラッシュを経て1991年には41.4％に達した（糸換算数量ベース，通産省資料）．これには日本の価格競争力減退に加えて，1967年以降の一連の関税引下げ措置（第6章第3節参照）もあずかっている．もっとも，わが国の繊維産業が過去25年間衰退し続けてきたわけではなく，この間に天然繊維から化合繊への原料転換，各段階での技術革新と生産性上昇，輸出・内需の変化に対応した積極的な生産物・市場転換を実現してきた．化合繊を中心に国内生産は3倍増となり，海外直接投資も積極的に行ってきた．しかし，外的与件変化にはこのように活発に対応しながらも，日本の繊維産業は「過剰設備」に悩んできたのであり，1956年以来一連の繊維立法のもとで一貫して過剰設備廃棄が焦点となった．中小織物業に対しては設備登録制（1953年～）と設備廃棄補助が実施され，合繊製造・紡績の大企業に対しては不況カルテルによる設備凍結，共同廃棄の行政指導が行われた．

　石炭や農業も1960年代にきびしい産業調整問題に直面した．エネルギー源が石炭から石油に転換したために，1960～73年間に石炭生産は約4割に，就業者数は10分の1に縮小した．政府は原油関税を財源に閉山援助や産炭地振興，炭坑離職者救済を行った．農業は耕地が狭いうえに労働割高化が加わって比較劣位化したが，政府は手厚い保護政策をとった．一方では輸入数量制限を維持するとともに，他方農業基本法（1961年）のもとで構造改善事業（稲作機械化）

と米の生産所得補償を実施したのである．しかし米以外の穀物，飼料を中心に農産物輸入は激増した．就業人口は1960〜78年間に半減したが，そのうち専業者は20％以下に減っている．1980年代後半の円相場急騰で，これらの産業の国際競争力はさらに悪化した．きびしい輸入数量制限下で国産品価格は海外価格の石炭で3〜4倍，米で6〜7倍に達し，調整圧力が強まった．

　しかし1990年代に入って，これら調整援助政策の見直し，調整の加速化が行われている．石炭業では，1980年代後半以降北海道夕張地区の炭坑群の閉山が続き，1997年に日本最大の九州の三池炭坑も閉山になった．後は北海道と九州の2海底炭坑を残すのみとなった．繊維産業での設備登録制も長年形骸化し，実効がなくなったことが指摘されてきたが，2000年までに廃止されることに決まっている．国内生産のいっそうの海外移転が進み，国内では国産品と輸入品との棲み分けが進行している．農業もウルグアイ・ラウンド交渉の結果，米以外の農産物の輸入数量制限は関税化され，米についても「市場のミニマムアクセス」として国内消費の8％までの輸入が義務づけられ，2000年以降に関税化される方向である．国内農業自体も大きく変化しつつある．1995年から新食料法が施行されて，国内流通制度が大幅に変わりつつある．現行の一律減反による生産調整には農家自体からの批判も高まっており，他方6兆円のウルグアイ・ラウンド対策費がこのような国内調整に有効に使われていないことが指摘され，見直しが行われている．現行方式の行き詰まりは明らかであり，21世紀には新しい調整方式への移行が必至とみられている．

《構造不況業種の調整援助》

　1970年代の産業調整の主役は素材産業である．1974〜75年の第1次石油危機による深刻な不況からの回復過程で製造業中の2極分化が明瞭になってきた（図7-3参照）．各種機械産業を代表とする加工・組立産業が1976年初め以来順調な生産回復を果たしたのに，化学・金属などの基礎素材産業の生産回復は，その半分にも達しなかった．業種によって事情は異なるが，多くに共通している理由は次の二つである．

　(1)　高度成長下で規模拡大を続け，コスト引下げを実現してきたのが，日本

図 7-3　製造業生産指数の2極分化

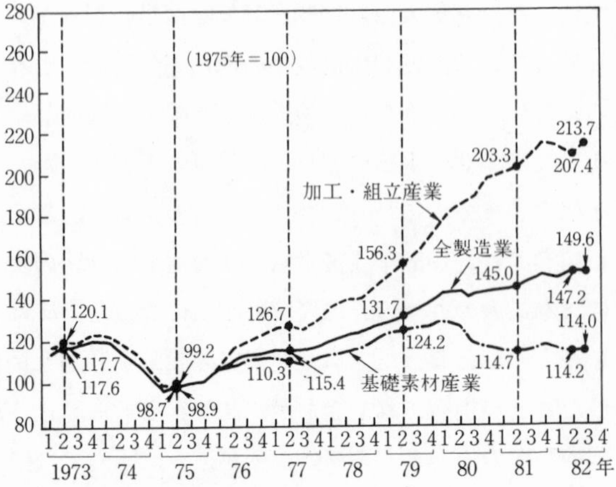

（出所）　通商産業省『特定産業構造改善臨時措置法案の概要』1983年6
月．

経済の成長の鈍化，出荷停滞で低稼動率を余儀なくされ，逆にコストが上昇し
た．さらに高度成長の持続を期待して，大幅な見込み投資を行っていた業種で
はこの衝撃はいっそう強く働いた．

(2)　原油価格の高騰と，それにともなう電力その他原燃料価格の高騰とで，
原料・エネルギー多消費型の基礎素材産業は大幅なコスト上昇になった．とく
に1960年代に安い原油価格を利して競争力をつけ，輸出化まで果たしていた業
種では，一挙に比較劣位化し，輸出力を失って，いっそう生産縮小に追いこま
れた．

アルミ精錬，石油化学は(1)，(2)の衝撃を最も強く受けた産業である．石油化
学は，1958年に政府の合成繊維製造のための石油化学原料輸入代替化の方針を
受けて開始されたが，当初のエチレン生産年産1.4万トンが1965年には78万ト
ン，石油危機直前の1973年には417万トンと飛躍的に拡大した．それとともに
コスト引下げが実現した．1958年には全量輸入したのに，1964年には輸出超過
に転じ，1973年には東南アジアを中心に大幅出超を記録した．それが石油価格
の大幅引上げ，低操業率によるコスト上昇で完全に国際競争力を失い，輸出は
激減，輸入は急増して1981年にはふたたび入超になった．

　アルミ精錬も元来電力多消費型であって，日本は競争力をもちにくく，輸入依存も大きかった．しかし高度成長期のアルミ 2 次製品内需の増大に応えて規模を拡大し，自給率を高めてきたものである．それが原油価格引上げ，電力コスト高騰によって一転して国際競争力を失い，輸出はゼロに，輸入は1977〜81年間に12.5％増加して，輸入・内需比率は1981年66％に達した．

　基礎素材産業の回復の遅れ，経営困難が関連他産業の足を引っ張らぬようにとの配慮から政府は特定産業安定臨時措置法（特安法）を成立させ，1978年 6 月から施行した．14業種が構造不況業種として指定され，それぞれ業種別に安定基本計画（1983年目標年度までの需給見通し）を作成し，過剰設備の処理を行うというものである．設備処理は自主調整を建前とするが，8 業種については通産省の指示によりカルテルが結成され，過剰設備の凍結・廃棄と日本開発銀行による事業転換のための資金融通が行われた．

　1983年 6 月，特安法の期限切れに導入された特定産業構造改善臨時措置法（産構法）は再度基礎素材産業の政策的てこ入れをはかった．指定業種には石油化学（エチレン），紙・パルプを加え，設備処理と活性化促進の総合対策（技術開発，事業集約化，エネルギー，コスト低減などを含む）実施のための共同行為の容認と金融・税制措置による支援を主内容としている．特安法，産構法は，通産省による新しい産業政策であり，低成長経済下の産業調整援助の方向性がはっきり現れている．

《日本産業の国際化》

　1985年以降の円急騰が日本企業の貿易・投資パターンに及ぼした影響は大きかった．急速な円高化は1971年以来すでに 3 度目だが，3 年間でほぼ 2 倍になったため多くの企業がもはや円安への後戻りはないと考え，その衝撃は前 2 回をはるかに上回った．円高のほかにも労働不足・賃金高騰が加わって，日本国内での生産は立ち行かなくなり，企業は積極的に生産の海外移転を実施した．これが国際化である．

　日本企業による海外直接投資額は1986〜89年間年率30％で規模が拡大し，海外投資ブームを現出した．直接投資の主要な行き先は北アメリカ，西ヨーロッ

パとアジアだが，金額的には欧米向けのほうが5〜6倍と大きい．しかし製造業投資の件数では多くの中小企業による投資を含むアジア向けのほうが欧米向け投資件数を上回る．欧米向けとアジア向けとでは海外投資パターンが異なる．欧米向け投資は摩擦回避と市場成長を見込んでの生産移転だが，アジア向け投資はもっぱら低廉な賃金と割安な為替相場の国へ生産を移すことでコスト引下げをねらったものである．すでに日本製造業企業の海外生産比率（総出荷額のうち海外子会社による生産の割合）は1990年に平均20％を越えた．

1980年代後半の海外投資ブームには，資金面でも有利な条件が働いた．1980年代を通じて経常収支黒字が継続したお陰で国内に流動性が溜って，投資資金の余裕が生じたこと，および円高で海外資産の取得価格が割安になって，海外投資をしやすくなった．その大半は証券投資や不動産投資に向かったが，製造業投資でも空前のブームになったものである．しかし1990年からは国内での株式・不動産市況の低落や，銀行の貸出し規制，景気後退の影響を受けて，海外直接投資額も伸び悩みとなった．1990年には前年値を36％も下回っている．欧米向け投資のなかには一部撤退する動きも出た．しかし東・東南アジア，とくに中国向け投資は持続して，日本の対外直接投資総額は1994年には1989年水準に復し，その後もふえ続けている．

《産業空洞化論は正しいか》

1990年代前半，日本経済はバブル崩壊後の1％以下の低成長に悩んだ．1996年から回復過程に入ったが，1997年にはふたたび低迷して，日本経済活力の弱い状態が長期化するといわれだしている．この原因を急速な円高化と日本企業の海外進出に結びつけて，日本製造業の空洞化に求める声も少なくない．アメリカでも1980年代前半のドル高が進行した時期に「脱工業化」がいわれ，労働組合などから国内雇用維持のために海外投資の抑制論が出たことがあった．大幅な貿易収支黒字を続けている日本でさすがにそこまで主張する論者はいないようである．しかしこれは本書で展開してきた国際経済政策論と関係するので，この「空洞化」論を検討し，日本経済の再活性化の途は海外投資規制などではなく，規制緩和を中心とした国内経済構造の大胆な改革に求めるべきであるこ

とを述べたい．

　第2章でも述べたように，輸出・国内生産・輸入パターンは比較優位によって決まり，その定量的決定は経常収支を均衡させるように為替相場が決まることで決定される．もちろん過度の金融資本移動で為替相場が攪乱されないかぎりである．円高になれば輸出が困難になり，輸入が増加し，経常収支赤字化，国内生産・雇用が減少する．しかし円高化が進んだなかでも，大幅な黒字が続き，輸出が減らず，輸入がふえず，国内生産・雇用はより多く残存していることになる．日本での空洞化はこの教科書的説明と一致しない．

　産業・国際分業構造変化の長期トレンドの一部には「海外投資を通ずる国内生産の海外移転」がある．しかし海外投資→国内生産・雇用減少の因果関係を定量的に検証した研究を知らない．日本企業の海外生産・雇用を調べて，その分だけ国内空洞化が生じたというのは短絡的議論である．日本の国内での生産・雇用減少と結びつけた研究を知らないし，それが直接に結びつけられる事例は少ないのではないか．たとえその結びつけができたとしても，海外投資を抑制すれば国内生産・雇用減少を妨げたとはいえない．

　むしろ日本の比較優位パターンの変化と長期的円高傾向のもとでは産業・国際分業構造変化が不可避だと受けとめて，それにもとづく国内生産・雇用がどのように進行しているかを定量的に調べ，空洞化の実態を明らかにするのが正攻法であろう．日本の産業構造がより技術集約的になるのにつれて増大する新職種・新技能労働への需要に対して国内の供給が十分に対応できないことのほうが空洞化の原因になるという議論もある．空洞化を海外投資抑制や輸入制限に短絡的に結びつける保護主義こそ警戒すべきである．

《日本の調整援助政策の特徴》

　日本の調整援助政策の特徴として，次のような諸点があげられる．第1の特徴は，その「特定産業政策」（industry specific policy）にあるといえる．繊維産業政策，石炭業対策などはその典型である．PAPの基準としてあげたように，理論的には一般的調整援助のほうがよい．すなわち，産業を問わず，調整困難に陥った企業，失業した労働者は一定の条件を満たせば，政府による調

整援助を受けることができるというものである．アメリカの通商拡大法に盛り込まれた調整援助も，多国間関税引下げによる輸入急増によって事業縮小した企業や失職した労働者に，業種は問わず再建・転換援助や失業手当・再職業訓練を与えることになっている．

日本で特定産業を対象とした調整援助が多いのは，これまでの調整困難の経緯にもよっている．高度成長期には，選別的な成長産業育成と一部比較劣位産業の縮小とが主であって，調整困難に陥った一般企業，労働者の調整援助措置はなかった．成長産業への転換も比較的容易であり，農業，繊維産業などからの労働力の移転も大きな摩擦を生まなかったからである．25万人に達した石炭業での失業者の再訓練と再雇用の促進も特定産業政策の枠内（炭鉱離職者救済法）で実施された．

1970年代後半の低成長期において，はじめて多産業にわたった調整援助政策が実施された．前述の特安法（1978年），中小企業転換法（1976年），不況地域法（1978年），円高法（1978年）である．後の3法は業種を問わず中小企業を対象としたものだが，特安法は前述の特定産業政策と異ならない仕方で実施された．1983年から施行された産構法も同様である．

また，日本で特定産業あて調整援助措置が多いのは，日本における政府と企業の関係を反映している．通産省の現課現局は管轄の民間部門の景況を常時把握して，必要な施策を講ずることを期待されているし，それを怠ると国会で責任を追及される．都道府県の商工部との連絡も密接で，中央政府の政策意図が末端までいきわたる仕組みになっている．民間側もこの受け皿として業界団体を結成し，政策立案に注文をつけ，政策実施に協力する．ドイツやアメリカでの政府と企業との関係とはかなり異なっている．

第2にこのような調整援助は実効があがったか．現実に石炭業でも繊維産業でもアルミ産業でも，産業構造変化は著しい．しかしこれらの産業の構造調整に政府の調整援助政策がどの程度貢献したかについては否定的な見方も少なくない．

政府の調整援助のうち中小織物業への設備近代化補助（特繊法，1967〜74年）や知識集約化や共同化の促進（新繊維法，1974〜83年）の構造改善事業は

一定の効果をあげえたが，過剰設備対策はむしろ個別企業による自主調整を妨げた面が少なくない．中小織物業では設備登録制と新設制限のために企業の集約化が遅れ，零細規模経営の残存が目立つ．とくに，毛・化合繊維品の対米輸出自主規制受諾の代償として与えられた臨時繊維産業特別対策（1971〜73年）での大量買上げ廃棄は登録権にプレミアムを生じさせ，自発的な（無償の）設備廃棄の意欲を減退させた．他方，大企業は海外投資関連他産業への転換などでは活発であったが，過剰設備の共同廃棄はなかなか進まなかった．OECDのPAPの考え方も指摘するように，このような産業別対策はとかく企業の政府へのもたれかかりを助長し，不適者残存を許すおそれがある．長い眼で見ればそれは産業の残っている活力を早めにからせてしまうことにもなりかねない．この弊害は長らく指摘されていて，通産省は1993年から10年間で廃止することに踏み切った．

　また特安法，産構法のもとでの産業調整援助政策に対しても批判が多い．特安法・産構法の論拠は「バランスのとれた産業構造実現」にある．産業構成比が高く，加工産業を支えており，技術革新の担い手でもある基礎素材産業が，市場メカニズムによる調整ではたとえば3分の1と減りすぎるところを政策的てこ入れによって3分の2に食い止めようというものである．これは輸入制限措置をとらず時限的であって，企業の自主的申し出に応じて実施し，効率企業だけを残すことを目標にするという意味でPAPであると説明される．

　しかしPAPの建前にもかかわらず，この政策の実施には競争制限的要素が含まれ，自主的調整の場合に維持される企業の活力や効率化努力を衰えさせてしまうというのが学界からの批判である．経営者側も政府主導の計画的縮小には懐疑的であって，政府はエネルギー対策や電気料金引下げを実施したうえで，企業の自主的調整に委ねるのが望ましいとしている．

　さらに計画的縮小ははたしてうまくいくのかという問題がある．アルミ精錬の場合には特安法下の安定基本計画では生産164万トンを116万トンに設備処理し，さらに1981年10月の産構審答申では国内供給70万トンと修正したが，現実には精錬6社の国内生産休止，閉鎖が行われて，1982年国内生産33万トンまで縮小した．企業の自主的調整のほうがより速やかであったのである．

　第3に産業調整援助では積極的対応と防衛的対応との区別は必ずしも明快ではなく，グレイ・ゾーンがある．たとえば，先進国の成熟段階に達した輸入競争財産業での陳腐化設備廃棄と合理化投資の促進，いわゆる「産業再活性化」がその一例である．これは図7-2の調整コストのモデルでは M 産業のてこ入れになり，X 産業への転換ではない．この理由から産業再活性化は防衛的対応であるとみなす論者もいる．しかし現実には次のような状況も考慮すべきであろう．

　まず，これらの産業では基本的技術は成熟化しており，広く発展途上国にも伝播して，競合的生産もふえている．先端技術産業とくらべれば比較劣位にあることは否定できないが，これらの成熟産業のなかでも一部の商品部門や生産段階では，なおいっそうの省力化や差別化の余地が残っている．他方，転換先の成長産業の候補もそう多くはない．さらに前項で述べた，日本企業の海外投資によって「産業の空洞化」が生じ，アメリカと同じような製造業雇用減になると懸念する声もある．図7-2の M 産業の再生部分は X 産業に組み入れて，M 産業の残りは切り捨てていく構造調整を考えてもよいであろう．同じ M 産業内での転換は比較的容易であり，調整コストも小さくてすむ．

　そしてその一部は再生しても成熟産業の規模はやはり縮小し，企業の淘汰が進行しよう．差別化品に対する需要は内外ともに限度があり，また量産品でも輸出まではできない場合が多い．つまり，生産拡大には限度があり，また生産性上昇は雇用減少を激化させる傾向がある．成熟産業の一部が再生化に成功しても，残余部分で企業淘汰，雇用減少が進行する．この産業で産業調整が必要とされることには変わりない．しかしそのための調整援助政策はむずかしい．安易に設備廃棄，近代化投資を促進すると，過剰設備を生み出し，政策的調整の負担をさらに強めてしまう．ここでも市場メカニズムにもとづいて企業の自立的判断と自己危険負担原則が活かされなければならない．産業再生化のためにはとくに PAP の原則を遵守すべきであろう．

　第4に，1980年代の日本経済・産業の大きな環境変化のなかで日本企業がとった三つの構造調整である，合理化・多角化・国際化に政府の産業政策はどのようにかかわったか．通産省の施策は，一連の構造不況法に見るように，もっ

ぱら第1の合理化に向けられ，多角化や国際化ではほとんど見るべきものがない．

　多角化は成長分野を企業活動に取り込むように業種転換することである．これは日本の産業政策の特徴とされた選別的産業育成とかかわっている．1950年代の鉄鋼業，1960年代の自動車産業に続いて，石油危機以降はすべての業種で知識集約化が奨励された．資源・エネルギー集約的，大量生産的とは別の方向が求められたのである．しかしそこでの政府の役割は主として旗振り役にとどまって，実際の対応はもっぱら企業努力に頼ったといってよい．ただ科学技術庁の国家研究開発プロジェクト（大規模研究開発プロジェクト）は民間のみでは取り組めぬ高リスク，長期の研究開発を促進した点が評価されている．これにはスーパーコンピュータ，自動縫製システム，高性能ロボット等が含まれ，1966年以来24プロジェクトが取り上げられた．そこでは政府研究機関が調整役となって，関連民間企業を集めて共同研究を組織し，かつ5〜10年にわたって必要経費の50％を政府が負担した．

　他方国際化に関しては一部中小企業に対する海外投資助成を除けば，個々の企業努力に任された．1980年代における海外投資ブームは，多くの企業が為替調整その他のマクロ経済変化に関する市場メカニズムのシグナルを正しく読みとって，行動した結果にほかならない．

　第5にこのように国内調整援助の実施には自発的調整を遅らせる要素があったのに，現実に日本の比較劣位製造業の構造調整がまがりなりにも進行したのはなぜであろうか．それは国内企業がきびしい競争圧力にさらされて，生き延びるための努力をした結果であるといってよい．国内市場規模が比較的大きく，競争企業数が多いこともある．また1960年代後半から，貿易・資本自由化の約束のもとで欧米のように輸入制限政策を強化せず，輸入競争圧力が維持されたこともあずかっている．さらに上述の比較劣位化産業も初めは輸出産業であって，輸出減少過程では外国企業とのきびしい競争を経験して製品差別化・高級化などの対応策を生み出さなければならなかったこともある．この国際競争圧力は農業や石炭業等にも及んできていることは前述のとおりである．

《規制緩和と制度改革》

　1990年代では日本経済の再活性化が最大の経済政策課題となった．幸い産業
空洞化論による内向きの調整ではなく，労働集約的製造業が海外移転した跡を
より付加価値が高い，技術集約的産業・職種の拡大・創出で埋めていくという
議論が主流になっているようである．そのような新産業・職種の拡大・創出を
いかなる政策で支援できるか．直接国際競争にさらされない流通・不動産・運
輸・建設，その他国内サービス等の分野では各種の産業法や政府規制によって
競争が制限され，日本経済全体の高コスト体質をつくり出していると指摘され
る．このような規制を緩和・撤廃して，新しい企業機会をつくり出すことで，
日本経済の活性化を果たそうというのが現在の支配的議論になっている．

　規制緩和や政府行政機構の改革はけっして新しい議論ではない．すでに日本
の経常黒字の累積と関連して，米国との経済摩擦の2国間交渉のなかで取り上
げられてきた．1984〜95年のアクション・プログラム（前川報告）は，日本の
経済制度や慣行を修正して，市場開放・輸入促進に結びつける狙いであった．
1989年から始まった日米構造協議では，日本人の高貯蓄性向や日本の国内流通
制度や企業系列関係の経済的効果の影響が突っ込んで話し合われた．規制緩和
や行政改革は対米摩擦の緩和のためではなく，日本経済自体の再活性化のため
に行われるべきものである．

　現在政府は1995〜97年度の3カ年規制緩和推進計画を策定中である．ここで
は金融・証券，保険，電気通信，輸入手続き・基準認証，流通，エネルギー，
農業の6分野が対象として指定されている．さらに1996年度から経済改革，行
政改革，財政改革，社会保障制度改革，金融システム改革，教育改革の六つの
構造改革を討議している．1998年4月から実施される外国為替取引の大幅規制
緩和をはじめとして，これらの制度改革は21世紀初めにかけて実施される予定
である．中長期的には制度改革・規制緩和によって国内でも競争圧力を強め，
日本経済を再活性化するという総論に反対する人はいない．しかし短期的には，
具体的な実施案となると，関連業界を中心に既得権益グループによる抵抗が非
常に強い．政治による強い指導力が望まれているわけである．

7-5　日本の国際分業パターンの調整

　日本が直面する貿易摩擦は，日本の輸入面だけでなく，輸出面および総体的
不均衡も含めて，日本の国際分業パターンそのものへの批判になっている．視
点をさらに広げてそれへの対応を考えてみよう．

《自由貿易体制の費用・便益》

　日本の貿易摩擦はさまざまな複合要因から発生している．直接的には個別産
業摩擦で，輸出，輸入両面で発生しているが，その原因は調整コストの理論で
説明できる．

　しかし総体的摩擦のほうは主要貿易相手国との 2 国間貿易収支不均衡がきっ
かけとなっており，しかも政治問題化されて摩擦が増幅されている．現在の多
角的貿易の世界では個々の貿易相手国との貿易収支が均衡する必要はない．ヨ
ーロッパ，アメリカ，アジアの工業品輸出国に対する日本の貿易収支黒字は，
中近東やオーストラリア，インドネシアなどの資源輸出国に対する収支赤字で
相殺される．事実韓国，台湾は大幅な対日赤字を除くと，日本に類似した国別
貿易収支パターンをもっている．ただ図 7-1 で日米貿易について見たように日
本の 2 国間収支不均衡は総体的貿易収支赤字と結びついている．もちろん近年
の日本の黒字幅拡大とアメリカの赤字幅拡大は，アメリカの双子の赤字の持続
や為替相場調整のおくれなどマクロ経済調整不十分の結果によるところが大き
く，日本の対応能力も限られている．しかしそれにもかかわらず，2 国間収支
不均衡が政治問題化されてきた．

　経済的理由づけが薄弱でも，いったん政治問題化されると放置できない．自
由貿易体制は貿易相手の双方の合意にもとづいて維持されており，一方の国が
そのあり方に不満をもって種々の貿易制限措置を導入すると，崩壊してしまう
からである．日本はこれまで世界貿易体制のなかで大きな国際分業利益を受け
てきたから，それを維持するコストも支払わなくてはならない．緊急輸入低利
貸付制度などの資源配分上最適でない政策であっても，短期的に目に見える 2

国間収支改善効果をもつものは実施せざるをえない.

《国際的産業調整の必要》

　しかし中長期的な根本解決のためには，過大な総体貿易収支黒字の構造的原因を除き，個別産業摩擦の調整コストを軽減する必要がある．欧米諸国や新興工業国は，日本の複雑な流通組織や煩雑な輸入手続きを「隠れた輸入障壁」とよんで，その撤廃を要求する．たしかにこの面での改善努力は続けるべきだが，彼らが問題とする日本の過小輸入は，基本的には日本の産業・貿易構造自体から生み出されている面が強い．日本が工業生産の全段階を自給生産して，素原料のみ輸入するという国際分業構造は他の工業国にとって容認しがたいであろう．日本の国際分業構造そのものが批判されているのであり，それを修正して他の工業国とのあいだで相互輸出入を促進することが真の長期的解決になると思われる．

　工業品の産業内分業はどのようにしたら促進できるか．基本的には双方の企業家の利潤動機にもとづいて市場メカニズムで実現される以外にないし，そのような企業行動を妨げている制度的・政策的要因をとり除いてやらねばならない．しかしそれを補うかたちで国際産業協力が推進されなければならない．

　国際産業協力は相手国産業の積極的調整を直接投資，技術協力を通じて支援するもので，近年日本の対欧米貿易摩擦解消の有力な手段となってきた．国際産業協力は「先進国民間ベースによる産業発展の協力」と定義されるが，典型的には，日本企業が欧米企業に資本参加したり，合弁子会社を設立して技術・経営協力するものである．多くは電子機器や産業機械，鉄鋼，自動車など日本の競争力の強い業種で盛んである．それはわが国企業の多国籍活動を中心とするが，政府や業界団体による奨励で勇気づけられる．

　国際産業協力は新興工業国とのあいだでも進められなければならない．とくに近隣新興工業国からの製品輸入の本格的拡大のためには，企業レベルでの中間財・部品の積極的な海外調達増大が必要である．前節で述べたように，円高をきっかけにして日本企業による現地生産投資が拡大した．とくに東アジアのNIEs や ASEAN，中国で日本企業を中核とした部品，製品供給ネットワーク

が整備されている．しかし，同時に相手国企業の技術水準を引き上げて，中間財・部品の品質・供給体制が整備されなければならない．そのためには民間商業ベースおよび公的経済協力ベース（農業・中小企業分野など）での技術移転が不可欠であろう．

　このような国際産業協力も含めて，各国の産業調整努力を相互にかみ合わせ，調和させるための政府間の政策調整が必要になってこよう．このような国際産業調整こそが，貿易摩擦の根本的解決になると思われる．通産省のグローバル・パートナーシップ・プロジェクト（1991～92年）はこの具体例である．

【練習問題】

(1)　最近日本はアメリカ，ヨーロッパ，アジア諸国とのあいだの貿易摩擦に悩んでいる．なぜ主要貿易相手国とのあいだに摩擦が起こるのか．それにどう対応したらよいのか．

(2)　図7-2の調整コストのモデルで，M 財が賃金財ならば P_3 点で生産が行われ，X と M の複合財で賃金が測られる場合には P_3 と P_4 の中間に生産点が決まることを確かめよ．

(3)　次の対句の異同（類似点と相違点）を明らかにせよ．

　　1)　個別産業摩擦と総体的摩擦

　　2)　幼稚産業保護論と産業調整コスト論

(4)　貿易摩擦に対して防衛的対応より積極的対応のほうが望ましい理由を述べよ．

(5)　正誤問題．

　　1)　日米貿易摩擦はマクロ政策のミス・マッチから生じたもので，両国のマクロ政策の調整によって解消すべきである．

　　2)　1985年以降の日本産業の構造調整は，政府の貿易・産業政策によって達成された．

　　3)　輸入国は輸入増加に対して速やかに国内生産を調整すべきであって，輸入制限など取るべきではない．

(6)　通商産業省は日本の産業調整政策は PAP だと説明している．あなたは

　　どう思うか.

(7)　産業空洞化論にもとづく海外投資抑制の主張の論理構成を自分で組み立
　　て，その難点を指摘せよ.

(8)　国内産業調整と国際産業調整の異同を明らかにせよ.

第 8 章

世界経済の新動向と地域経済協力

　20世紀は世界経済の激動の世紀であったが，その激動は1990年代にも引き続いている．1980年代末に始まったソ連・東欧の社会主義体制の崩壊と冷戦の終焉は，禍福ないまぜの衝撃を市場経済諸国へもたらした．40年間続いた冷戦の終焉はもちろん防衛費の大幅削減，教育や社会福祉の拡充という道を開く福である．しかし代わりに民族間の抗争，地域紛争が世界各地に広がった．そして社会主義経済の突然の崩壊，市場経済圏への参入は市場経済諸国にも大きな負担をもたらしており，それも原因のひとつとなって，1990年代はじめ先進諸国は1980年代後半の好況とは打って変わった深刻な不況を経験した．

　しかしそのなかでも21世紀の体制づくりが進行している．ひとつは難航の末にウルグアイ・ラウンド交渉が妥結し，世界貿易機構（WTO）が発足した．すでに1980年代に活発化した企業活動のグローバリゼーションに対応して，国民国家はWTOを中核に協力して自由化を進め，21世紀の世界貿易体制づくりを果たすことが期待される．もうひとつは地域主義の台頭である．世界貿易体制づくりは王道ではあるが，多数加盟国の合意を形成するには時間を要し，迅速には進まない．近隣の経済条件も似通って合意を形成しやすい国々との地域協力・地域統合を強めて自由化を推進する道を選ぶことが1990年代に入って流行した．これは長い目で見ればけっして世界大の自由化と矛盾するものではない．この動きは日本も身を置くアジア太平洋地域ではアジア太平洋経済協力（APEC）として推進されている．本章ではこの二つの動きを検討しよう．

8-1　グローバリゼーションと WTO 体制

　20世紀の後半に入って，情報通信・輸送技術が飛躍的に進歩して，企業が自国市場だけでなく国境を越えて世界大で生産・流通活動を繰り広げる，いわゆるボーダーレス化傾向が顕著になっている．この傾向は，自国市場ベースでは国際競争力を維持，存続できなくなって，大企業はもちろん，中小企業にまで及んできている．企業側でのこの動きに対して，国民国家政府は自国内の経済成長を維持し，雇用と所得の増大をはかるためには国内企業だけでなく，外国企業も積極的に取り込んでいかなければならない．それを妨げるような貿易投資障壁を取り除き，企業活動を規制する制度・ルールの簡素化・共通化を実施しなければ，外国企業がこないだけでなく，自国企業もよりよい政策環境の国へ出て行ってしまう．これが「企業活動のグローバル化（グローバリゼーション）」への「国民国家政府の対応」であって，1990年代に顕著になった．[1]

《WTO の発足》

　1994年のウルグアイ・ラウンド交渉の妥結と世界貿易機構（WTO）の発足は，このような国民国家の取り組みを象徴している．その前の東京ラウンド交渉（第 6 章6-3参照）と異なり，ウルグアイ・ラウンド交渉には多数の発展途上国が実質的に参加して貿易・投資の自由化を討議したものとして画期的であった．もっとも参加国間の利害の相違も大きく，4 年の予定をさらに 4 年もオーバーして，ようやく妥結にこぎつけた．しかし従来の GATT 交渉の守備範囲を大きく超えて農業保護の聖域にも踏み込み，悪名高い国際繊維協定にも終止符を打ち，サービスや知的所有権等の新分野も取り込み，GATT を WTO に拡大発展させたのは大きな成果である．おもな成果は次のとおりである．

・鉱工業品関税率の平均30〜60％引下げ
・国際繊維協定の 3 段階，10年間での解消

---

1)　多国籍企業と国民国家の関係については第 4 章4-2 の末尾の議論を参照されたい．

- ・農産物貿易の自由化（輸出補助金の36%削減，輸入制限の関税化と漸次引下げ，国内補助金の20%削減）
- ・輸出自主規制を3～5年以内に廃止
- ・知的所有権保護の普及
- ・貿易関連投資措置の自由化（現地調達比率要求，輸出入均衡要求等の期限つき廃止）
- ・サービス貿易自由化の枠組み設定
- ・多角的紛争処理手続きの強化と迅速化
- ・貿易政策検討制度を1989年から実施
- ・GATT の WTO への拡大発展

　1995年1月1日から発足した WTO は原則も GATT 規則を引き継ぎ，運営組織も閣僚会議と理事会を事務局がサポートする体制も GATT と変わらない．ただその管轄範囲はサービス，知的所有権，投資を含めて大幅に拡大された．紛争処理パネルも常設化され，機能も強化されて，これまでもっぱら2国間交渉で処理された紛争案件も WTO の紛争処理パネルにもち込まれるようになった．1997年での加盟国（締約国という）は125カ国であり，中国とチャイニーズ・タイペイの加盟交渉が進行している．

　ただし，WTO が対処しなければならない問題は山積している．サービス貿易自由化では金融や航空等の分野ごとの交渉は続行されており，国際投資の自由化ではアメリカはじめ先進国が満足せず，OECD の場で多角的投資協定（MAI）の策定が進行している．ダンピング対抗措置の濫用を戒めるための GATT 規定（GATT 6 条）の強化や，地域経済統合の形成を認める条件（GATT24条）の強化が引き続き議論されている．さらに競争政策や環境と貿易，労働基準に関する作業部会を設置して，予備的検討が始まっている．1996年末シンガポールで開かれた第1回 WTO 閣僚会議では，ウルグアイ・ラウンド合意の完全実施を申し合わせ，サービス等での継続交渉のできるだけ早期の終了努力を表明した．

　しかし世界大で自由化・規制緩和・制度ルールの共通化に WTO 加盟の125カ国が合意するには時間がかかる．後述のように，手っ取り早く，実現可能な

近隣諸国との地域経済統合に走るのが流行になっている．このようなリージョナリズムの動きが進行しても，世界貿易体制は大丈夫なのか．リージョナリズムを抑制し，グローバリズムを督励しなくてよいのかが，しばしば問いかけられている．

8-2　地域経済協力

　1990年代に入ってからの顕著な傾向として，世界の各地でリージョナリズムが活発化していることがあげられる．ヨーロッパ共同体（EC）はいまや15カ国のメンバーを擁し，通貨統合まで進む欧州連合（EU）になったし，米加自由貿易協定（NAFTA）はメキシコを入れて北米自由貿易協定に拡大し，近くチリの参加が予定されている．ASEAN の自由貿易協定（AFTA）では2003年までに多数品目の域内関税率を5％以下に引き下げることを決めている．これらに刺激されてラテンアメリカの MERCOSUR，さらにアフリカ，中近東，南アジアの途上国でも地域統合化の動きが活発で，国連貿易開発会議（UNCTAD）作成のリストでは世界で35の地域統合グループが発足している．[2] もっとも地域統合の程度はさまざまだが，グループ内での貿易・投資障壁の削減・撤廃から始め，関連国内制度やルール・手続きの透明性を高め，共通化をはかり，政策調整を試みる（これらを円滑化とよぶ）まで予定しているものも少なくない．これが地域大で，近隣国同士で自由化や円滑化を進めるリージョナリズムの活発化である．

《地域経済統合の効果》
　地域経済統合の効果を関税同盟について単純なモデル（図8-1）で把握しておこう．ここではA，B，C3国があって，A，B2国が関税同盟を形成し，C国は同盟に参加しないとする．ある財の生産費が3国でそれぞれ35ドル，26ドル，20ドルと仮定する．

2)　UNCTAD, *State of South-South Cooperation: Statistical Pocket Book and Index of Cooperation Organizations*, Geneve, 1995.

図 8-1　関税同盟の効果

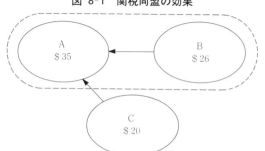

(注)　数値はヴァイナーの古典的数値例を借用. J. Viner, *The Customs Union Issue*, 1950.

(1)　当初Ａ，Ｂともこの財の輸入に100％の関税をかけるとすれば，最も生産費の低いＣ国からの輸入品も40ドルになり，この財の貿易はまったく行われない．しかしＡ，Ｂ国が関税同盟を結成すると両国間では関税が撤廃され，Ｂ国品は26ドルのままＡ国に輸入される．Ｃ国品への関税は100％のままだから，Ｃ国品の輸入はない．この例では関税同盟の結果，Ｂ国からＡ国へ輸出する貿易が創出され，Ａ国の消費者は利益を受ける．これを貿易創出効果という．

(2)　これとは違って当初50パーセントの関税がかけられていたとすると，Ａ国へはＢ国からの輸入はないが，Ｃ国からは30ドルで輸入が行われ，Ａ国の消費者はＣ国品を消費していた．Ａ，Ｂ国が関税同盟を結成すると，Ｂ国品は26ドルのままＡ国に輸入されるから，30ドルのままのＣ国品に代替する．第6章6-1で学んだように関税徴収分は最終的には消費者に還元されるはずだから，この場合Ａ国消費者は実質20ドルのＣ国品から26ドルのＢ国品へ転換させられるわけで，不利になる．これを貿易転換効果という．

いろいろな財について3国の生産費の種々の組み合わせがあり，Ａ，Ｂ2国の関税率もさまざまだが，各財について(1)か(2)のどちらかが生ずる．全体で貿易創出効果の合計が貿易転換効果の合計を上回るなら，関税同盟はネットでプラスの効果をもたらしたことになる．逆に全体で貿易転換効果の合計が貿易創出効果の合計を上回るなら，関税同盟はネットでマイナスの効果をもたらしたことになる．

202

《地域経済統合の5類型》

　地域経済統合にはいろいろな形態がありうる．バラッサは自由貿易地域，関税同盟，共同市場，経済同盟，完全経済同盟の5段階に分類した．[3] 初めの3段階はもっぱら関税や非関税障壁等の国境措置の自由化の程度で区別され，域内関税を撤廃した状態が自由貿易地域，域外関税を共通にした段階が関税同盟，資本や労働移動も自由化した段階が共同市場である．さらに加盟国間で租税措置や各種規制や経済政策も共通化すると経済同盟になり，予算措置や通貨制度まで一本化すると完全経済同盟とよぶ．

　NAFTAや，AFTA，MERCOSURはいずれも第一段階の自由貿易地域FTAで，域内での関税は相互に撤廃するが，対域外では各自の関税を維持する．ECは1958年に発足以来，域内関税撤廃，域外共通関税設定を経て，1992年にメンバー国間の280余の物理的・技術的・財政的障壁を撤廃して単一市場を達成した．1995年にマーストリヒト条約を採択してEUとなり，2000年に最終段階の通貨統合を実現する方向で動いている．

　もっともこれはあくまで，理論上の分類であって，現実の地域統合では国境措置が撤廃される前から経済政策の協調や産業協力が実施されてきた．ECは1992年の単一市場計画ではじめて共同市場を達成したわけだが，石炭・鉄鋼産業協力は1951年から，共通農業政策も1967年から実施した．またこの5段階分類ではFTAが地域統合の最初の段階になっているため，多くの地域統合がFTAを名乗っている．しかしNAFTAをはじめとして現実には，紛争処理協定とか，グループ内の制度・ルールの共通化や国内政策措置の相互調整など，自由化以外の措置を初めから導入しているものも少なくない．

《現実的なリージョナリズム》

　FTAには域内だけで関税を撤廃する結果，域内の貿易が活発化する「貿易創出効果」と域外との貿易を阻害する「貿易転換効果」がある．これがメンバ

---

3) B. Balassa, *The Theory of Economic Integration*, Homewook, Ill. Richard D. Irwin, 1961 (中島正信訳『経済統合の理論』ダイヤモンド社，1963年)．

一以外からは差別だと批判される．しかし創出効果で域内の経済発展が促進されて域外輸入需要も拡大することも見込めるわけで，これが転換効果を上回ると域外国にもネットの貿易拡大のメリットがでる．理論的にはFTAは両刃の剣で，ネットでどちらの効果にもなりうるわけである．

　さらに地域経済統合には現在の生産費構造を前提して，貿易創出・転換効果を測る静態的効果だけでなく，第3章3-3で学習した「大市場の利益」や「競争促進効果」，生産要素の移動によって生産費構造そのものが変わる動態的効果が大きいといわれる．またグループ結成によって，自由化がより速やかに実施されたり，各メンバー政府が裁量で自由化を遅らせたり，修正したりするのを抑制することや，一国だけではもてなかったであろう交渉力・影響力を行使できる等の「組織効果」も考慮に入れられるべきであろう．[4]

　ECについての実証研究では域内貿易拡大については証明されているが，ネットの域外差別効果については明確に示されていない．制度的にはGATTでは第1条の無差別最恵国待遇を大原則としているが，第24条で地域大での自由化が世界大での自由化推進につながることを期待して，FTA等を第1条の例外として認めている．ただその条件としてつけられた「実質的にすべての商品・サービス貿易を含み」「自由化期限を明言し」「メンバー外への障壁を高めない」等はあいまいで，EUもNAFTAその他のFTAもこれらの条件に照らして受容されも拒否されもしていない．むしろ個々の地域貿易協定が実際面で差別化を増さないように監視するほうが有効であり，現実的である．

　もちろん現実のリージョナリズムの推進者たちは域内貿易拡大，そしてそれが世界大の貿易拡大にもつながることを表明している．1985年ECが単一市場計画を発表しただけで国境を越えての企業の吸収合併熱が高まったとき，外部からは「ヨーロッパ要塞」という批判がいわれたが，ブリュッセルのEC官僚たちはこれを聞いて「自分たちはヨーロッパの弱小企業・産業を温存するために働いているわけではない」と怒ったものである．現実に域外を除外することで域内活性化をはかろうとする地域統合グループはない．ただNAFTAのき

4)　OECD, *Regional Integration Agreements and the Multilateral Trading System : Are They Compatible?* TD/TC (93) 15, Paris, 1995.

びしい原産地規則のように特定分野の域外企業を排除する結果になる例は生じており，このような動きを監視して，警告・抗議し，制止することは続けなければならない．

8-3 アジア太平洋経済協力会議（APEC）

この世界的なリージョナリズムの動きに刺激されて，アジア太平洋地域でもAPECという地域協力組織が形成された．日本が参加している唯一の地域経済協力組織である．

APECはアジア太平洋経済協力閣僚会議の略称で，1989年11月オーストラリアのホーク首相の提唱で第１回会議がキャンベラで開催された．毎年秋に外相・貿易相会議を開いてきている．1993年11月のシアトル会議で首脳会議が併せて開催され，アジア太平洋の主要国の首脳がはじめて一堂に会する機会となった．この最初の首脳会議では「アジア太平洋の経済共同体づくり」を提唱し，1994年には議長国インドネシアのスハルト大統領が「2010〜2020年までにこの地域で自由貿易を実現する」という野心的なボゴール宣言を発表した．その実現のためのガイドラインが1995年に日本がとりまとめた「大阪行動指針」であり，それに沿って1996年に具体的な各国別の自由化計画を含む「APECマニラ行動計画（MAPA）」を採択した．それは他地域に例をみない自発的自由化方式をとっている．

《APEC の参加メンバーと独自性》

APECには現在18メンバー（オーストラリア，ブルネイ，カナダ，チリ，中国，中国・香港，インドネシア，日本，韓国，マレーシア，メキシコ，ニュージーランド，パプアニューギニア，フィリピン，シンガポール，チャイニーズ・タイペイ，タイ，米国）が参加している．[5] 図8-2にも示されて現れているように，太平洋を囲む組織になっている．

---

5) APECでは「加盟」といわず「参加」といい，「国」といわず「メンバー」または「経済」とよぶ慣習になっている．

図 8-2　APEC の参加メンバー

(注)〔参加国・地域〕英語名のアルファベット順で，オーストラリア，ブルネイ，
　　カナダ，チリ，中国，香港，インドネシア，日本，韓国，マレーシア，メキシ
　　コ，ニュージーランド，パプアニューギニア，フィリピン，シンガポール，タ
　　イ，台湾，アメリカ．
　　〔1998年新参加〕ペルー，ロシア，ベトナム．

　しかし APEC は前出の地域経済統合のどれとも異なる，独自の特徴をもつ
地域経済協力組織である．APEC を特徴づける三つのキーワードとして多様
性，高度成長，非制度化をあげておきたい．参加メンバーの多様性は APEC
の最も顕著な特徴である．APEC 参加メンバーは国土面積でも資源賦存状況
でも異なる．経済発展段階も違い，所得水準の格差も大きい（表 8-1）．宗教
的・文化的伝統でもいくつものグループに分かれ，ハンティントン流の文化の
衝突が起こっても不思議はない．[6] 冷戦時代には市場経済圏と社会主義経済圏
に隔絶されていた．APEC 内にも NAFTA，ASEAN/AFTA，豪ニュージー
ランド経済緊密化協定（ANZCER）の三つの自由貿易地域を含む．アジア太

---

6)　S. P. Huntington, "The Clash of Civilizations?" *Foreign Affairs*, Vol. 72, No. 3,
　Summer 1993.

表 8-1　APECメンバーの主要経済指標

	人口 （千人）	GDP （百万米ドル）	1人当り GDP （米ドル）	GDP成長率 （実質年平均率）(%)	
	1993年	1993年	1993年	85～90年	93～95年
日　本	125,000	4,222,000	33,700	4.7	0.3
韓　国	44,100	331,000	7,510	10.8	7.8
中　国	1,210,000	545,000	452	7.9	11.8
香　港	5,920	115,000	19,400	7.8	5.4
チャイニーズ・タイペイ	20,900	216,000	10,400	9.2	6.5
ブルネイ	270	4,020	15,500	—	1.9ᵃ
インドネシア	189,000	143,000	755	6.3	6.9
マレーシア	19,200	57,600	3,100	7.5	8.9
フィリピン	65,700	54,100	824	4.6	4.3
シンガポール	2,870	55,100	19,200	7.9	9.2
タ　イ	58,600	110,000	1,910	10	8.4
オーストラリア	17,700	258,000	16,100	3.3	4.2
ニュージーランド	3,460	44,600	12,900	0.7	5
パプア・ニューギニア	4,060	3,850	950		7.6ᵇ
カナダ	26,800	545,000	19,000	3.1	3
チリー	13,800	43,700	3,160		5.4ᵇ
メキシコ	91,200	361,000	4,010		2.2ᵇ
アメリカ	258,000	6,290,000	24,400	2.8	3.3

（注）　a：94～95年，b：93～94年．
（出所）　国際連合統計を一部各国統計で補完．

平洋地域全体として協定にもとづく制度的地域経済統合を試みたことはない．しかし市場メカニズムで域内の貿易投資が活発化して実質的な統合が進んだという意味で，市場先行的統合ともよばれる．

　多様性には長短の両面がある．長所はこのメンバー間の経済状況の相違，経済的補完性のゆえに，アジア太平洋地域では貿易や国際投資が活発になった．アジアの発展途上国メンバーは「東アジアの奇跡」（第5章5-4参照）とよばれるような高度成長を達成した．先進国メンバーは途上国メンバーとの資源貿易や技術集約的製品や高付加価値サービスの貿易・投資を通じて成長を維持した．アジア太平洋地域内の相互依存関係は高まり，高度成長が持続した（表8-1参

照）．

　他方短所としては，多様性ゆえにメンバー相互間の理解はむずかしく，地域大の合意形成や共同行動には時間がかかる．APEC は制度化した地域統合として発足することはできなかった．非制度化である．もっとも現時点ではAPEC の制度化されない，弾力的なアプローチが多様なメンバー間の統合を促進するのに役立っているという論者が多い．

　ただ非制度化ゆえにメンバー以外には理解されにくく，過小評価される傾向がある．上述の UNCTAD のリストでも APEC は地域経済統合としてカウントされていない．しかし APEC 参加メンバーの顔ぶれを見ても，後述する統合の実体を見ても，APEC が EU と並んで世界経済を主導する地域統合グループであることは明らかであろう．18メンバーの合計 GNP は世界全体の47.8％（1989年）を占め，輸出総額では39.1％（1990年）を占める．アジアのメンバーだけでもそれぞれ19.1％と21.0％になる．他方同じ年次の EC の12カ国合計の GDP は23.7％と40.9％である．APEC の域内貿易比率は1980年の56％から1990年の66％に高まったが，同一期間内の EC の域内貿易比率は53％と63％であった．制度化されていないからといって，APEC の可能性を軽視すべきではない．

《APEC の組織》

　APEC は貿易大臣・外務大臣の年次閣僚会議として発足したが，それを支える高級実務者会合以下の下部組織も整備され，さらに非公式首脳会議も加わって，常設の組織体制を整えつつある（図8-3参照）．年１回の閣僚会議・首脳会議のあいだにも，貿易，金融・マクロ政策，環境保護，教育協力，中小企業育成，雇用，運輸等に関する大臣レベル会合が開かれ，そのもとで高級実務者会議と常設の貿易・投資委員会，経済委員会，行財政委員会がほぼ３カ月ごとに開かれるのをはじめ，個別協力分野に関するワーキング・グループ会合が地域内のいろいろな都市で開催されて，APEC 活動は最近目立って活発化してきた．シンガポールに小規模な常設事務局も設けられている．APEC の首脳会議や閣僚会議を主催する議長メンバーは各メンバーが回り持ちで，その年

図 8-3 APEC の組織

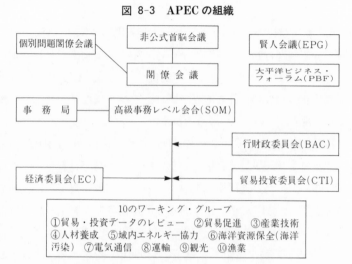

(注) 賢人会議は1993〜95年のみ. 太平洋ビジネス・フォーラムは，1996年から APEC ビジネス諮問委員会（ABAC）に改組された.

は議長メンバーから事務局長を出し，閣僚会議の準備をする高級実務者会合でもイニシアティブをとる.

　図8-3で賢人会議（EPG）と太平洋ビジネス・フォーラム（PBF）は民間人で構成する諮問委員会である．EPG は政府とは独立に APEC のビジョンや取り組むべき課題を提言するために設けられたものである．各参加メンバーから１名ずつ加わって，1993年度から３年にわたって活動し，３回の EPG 報告を提出した．その提言はボゴール宣言の中核として取り入れられるなど役割を果たした．他方1994年度から発足した PBF は同じ諮問委員会ながら趣旨が異なった．APEC は市場先行的統合といわれるように民間企業セクターの活躍に待つところが多く，PBF はビジョン提案もさることながら，民間企業の参加意識を高め，官民の連携強化を狙った．PBF は各国２名ずつのビジネスマンが構成し，２回の報告書を発表したが，その提言はより具体的に，企業セクターの関心分野を反映するものとなった．PBF は1996年から各メンバーから大，中，小企業を代表する３名ずつに拡大され，恒常的な APEC ビジネス諮問委員会（ABAC）に改組された.

8-4　APEC の行動計画

　APEC の行動計画の策定で日本は議長メンバーとして指導的役割を果たした．ボゴール宣言で掲げられた自由化・円滑化・開発協力の目標をどのように実施していくかについてのガイドラインが大阪行動指針である．それは自由化・円滑化と経済・技術協力の２部から構成される．

《自由化・円滑化》

　第１部の自由化・円滑化計画のほうには三つの特徴がある．まず自由化・円滑化を実施する方式に関して八つの一般原則を掲げている．包括性，WTO 斉合性，同等性，無差別，透明性，現行保護措置の凍結，同時開始・継続的過程・異なる時間表，弾力性，経済・技術協力との連携である．

　これを受けて具体的な枠組みとして「協調的自発的自由化」方式を採用した．各メンバーが行動指針にもとづいて自発的に自由化計画を策定して実施し，同時に各メンバー間で調整し，揃って自由化を進めるようにするものである．これには「不確か」だとか，「やらないメンバーが出る」等の批判があった．たしかに GATT の自由化交渉や一般の自由貿易協定のように自由化の内容を確定した協定をつくり，それを批准したらそのとおりに実施しないと制裁を受ける，法的規制力をもった方式にくらべると頼りない．しかし規制力の強い GATT 方式は APEC では受け入れられない．APEC はそのような交渉をする組織ではないという批判がでよう．そのような交渉組織に変えるにはなお５〜10年かかる．協調的自発的自由化は現在の APEC の組織で，すべての加盟メンバーが納得して取り組む現実的方式であった．

　第２に包括的な自由化メニューが提示された．これには関税，非関税措置，サービス，投資，基準・適合性，税関手続き，知的所有権，競争政策，政府調達，規制緩和，原産地規則，紛争仲介，ビジネス関係者の移動，ウルグアイ・ラウンドの成果の実施，情報収集および分析の15分野があげられている．伝統的な国境措置だけでなく，国内規制措置の緩和まで含まれることに注目すべき

である．まだ初歩段階だが，単一欧州市場計画に通じるものがある．

　第3に自由化の時間割だが，1996年11月のマニラ会議で各メンバーが2010～2020年までカバーした自発的な自由化計画を持ち寄り，1997年元旦から実施することとした．

　一部で危惧されたにもかかわらず，マニラ会議には18メンバー全部が個別行動計画を提出し，予定どおり1997年から自発的に実施した．ボゴール宣言から2年しか経っていない．自発的方式の利点であろう．しかし各国の自由化計画は内容的には格差も目立ち，また全体にほどほどの自由化計画で，そのままでボゴール宣言どおりに自由化・円滑化が達成されるか懸念されている．個別自由化計画はやはり内容に格差があり，今後も高級事務者会合等で内容のレビューを続けて毎年改善していくことになっている．協調的自発的自由化を実効あらしめるには自由化の進捗を追跡・吟味する作業が必要である．[7]

　なお1996年のマニラ会議では，アメリカが主導して，情報技術協定（ITA）を成立させた．これは情報技術関連品の関税を全廃して，その国際分業を活発化し，情報技術分野のいっそうの発展を促す狙いであった．その直後の WTO シンガポール閣僚会議に提案され，採択された．1997年ではこれに続いて，化学・環境機器等で同様の自由化提案が行われた．しかしこの分野別自由化方式が多数の分野で成功するとは考えられない．やはり個別行動計画方式が基本路線で，分野別自由化方式はそれを補う補助的なアプローチとなろう．

《経済・技術協力》

　経済・技術協力でも広範なプログラムを設定した．人材養成，産業科学技術，中小企業，インフラストラクチャー，エネルギー，運輸，電気通信・情報，観光，貿易投資データ，貿易促進，海洋資源保全，漁業，農業技術の13分野を含むが，環境は独立の分野としては入っていない．

---

7)　著者は1997年9月に個別行動計画の数量評価研究を国際的に発表している．I. Yamazawa, *APEC's Progress toward the Bogor Target : A Quantitative Assessment of Individual Action Plans*, PECC Japan National Committee, Tokyo, 1997. 詳細については著者の APEC に関する著書（近刊）を参照されたい．

　経済・技術協力はメンバー間の経済格差を縮小させ，アジア太平洋地域の持続可能な成長，公平な開発を達成するために行うもので，APEC の成功のために不可欠である．APEC 加盟国間では発展段階，技術水準，経営・行政能力で大きな格差がある．すべての国が通関，検疫，検査業務で習熟しているわけではない．これらを技術協力で補ってやらなければ，自由化の実効はあがらない．さらにインフラ整備の人材育成の遅れ，中小企業の非効率は関税障壁以上に成長持続の隘路になる．アジアの後発国の協力の要望が大きい分野である．その実施にあたっては各個別分野ごとに共通政策理念，共同行動および政策対話を三つの本質的要素としている．図 8-3 の経済委員会およびワーキンググループの多くはすでに各分野で共通政策理念の詰めと政策対話を始めていて，実に 200 余のプロジェクトが発足している．

　ただ自由化にくらべて経済協力は地味である．いくつかの分野で共同行動の実施に移して，目に見える成果をあげて，経済協力に弾みをつける必要がある．日本政府は PFP（前進のための同盟）という新提案を行って，100 億円を拠出することを約束して，経済・技術協力を推進する姿勢を見せた．PFP ではこれまでの援助国・被援助国といった 2 国間方式でなく，各国が自発的に資金・技術・人材その他出せるものを持ち寄って実施し，皆が受益する新しい方式を提案した．もっとも PFP は当面生産物基準や知的所有権保護等に関連して自由化・円滑化の達成に直接役立つような技術協力を取り上げるようである．

　またインフラ整備では，従来のような 2 国間 ODA や国際機関による公共プロジェクトのみでなく，民間企業の積極的参加を求めて，市場メカニズムにのっとった形で進めることが合意されている．しかし民間企業に十分な参加意欲をもたせるには公共インフラにつき物の各種規制を緩和・合理化して，新しい運営方式を導入する必要がある．このような規制緩和は APEC の自由化・円滑化計画に含まれており，自由化・円滑化の成果が経済・技術協力を側面支援することになろう．また既存の個別国の ODA や世銀・アジア開銀の融資といかに組み合わせるかの問題も詰めなければならない．

　さらに日本の提案に端を発した FEEEP（食料・経済成長・エネルギー・環境・人口の英語の頭文字を並べた）という新しいプロジェクトが進行している．

成長以外のひとつひとつが「持続的成長」の隘路となりうるもので，それらが相互関連し合っているのをうまく組み合わせて，具体的なプロジェクトにする．1997年には議長メンバーのカナダが環境に焦点を当てて推進した．もうひとつ FEEEP は APEC 域内だけにとどまらず，世界大の協力に発展する要素をもつ．Pの人口問題を取り上げても，人口爆発が APEC 域内で生ずる蓋然性は低いが，その近隣で生ずることが懸念されており，APEC としても無関心ではいられない．もっとも FEEEP が独立の行動計画として推進されるのではなく，関連の深い経済・技術協力のいくつかを重点的に推進するのに役立とう．

8-5 開かれた地域協力と世界大の自由化

「開かれた地域主義」(Open Regionalism) ないしは「開かれた地域協力」(Open Regional Cooperation) を APEC の4番目のキーワードにあげる．その趣旨は多角的ルールと整合的な形で APEC のプログラムを進めるというものである．この外向き志向は APEC メンバーがそれぞれ域外と伝統的に強い貿易投資関係をもっていて，APEC 域外も含めた貿易投資拡大志向が強いからである．APEC メンバーの多くは GATT のウルグアイ・ラウンド交渉にも積極的に参加した実績があり，大阪行動指針にも「WTO との斉合性」を自由化の一般原則として掲げている．

《開放経済連合 OEA》

しかし APEC の開かれた地域協力は，まず域内自由化を進め，一時的にせよ域外差別を強める FTA のアプローチと異なり，地域統合といえば FTA から始まると理解する人々のあいだに誤解を招いているようである．このような誤解を避けるには，早急にこの地域の現実に合致した，明確な地域統合のコンセプトを提供する必要がある．そこで EC や NAFTA よりずっと緩い地域統合体「開放経済連合（OEA, Open Economic Association）」を提唱した．開放経済連合とは

域外に対して差別しないという意味で，「開放」であり，

経済政策を中心とするという意味で,「経済」であり,

任意参加の緩い組織であるという意味で,「連合」である. その行動計画では自由化を補って円滑化・開発協力を合わせたものを中核とする.

ボゴール宣言では「2020年までにこの地域で貿易自由化を達成する」とした. この調整期間は既存の地域統合のどれとくらべてもはるかに長い. EC は域内の関税撤廃を10年間で達成した. NAFTA も10年でやる予定である. アジア太平洋地域では域内の貿易障壁は10年をはるかに超えて存続する. これがアジア太平洋地域の現実である. しかし不完全な貿易自由化は貿易・投資の円滑化や各種の開発協力で補われよう. OEA とは不完全な貿易自由化を円滑化・開発協力で補って, この地域の高度成長を維持する仕組みである.

OEA という現実的な地域統合の概念を踏まえれば, APEC についての誤解や批判の多くが避けられる. OEA なら多様な経済からなるアジア太平洋地域でも実現可能である. この地域での高度成長の現状を冷徹に分析するなら, それを今後も維持するには OEA 程度の地域統合, 制度化は必要であることに同意するであろう. そしてボゴール会議で, APEC の首脳はまさにそのようなアジア太平洋の OEA の形成を約束したのである. 大阪行動指針は APEC がアジア太平洋の OEA を目指していることを明確にした.

もっともこの OEA のコンセプトがすでに APEC メンバー全体で合意されているわけではない. 考え方の相違は APEC 自由化を域外無差別適用するか否かの議論に端的に現れている. 非加盟国への無差別適用は日本も含めてアジア諸国には支持が多いが, 米国は EU にただ乗りを許すという理由で反対している. 非加盟国もそれと見合った自由化をする場合にかぎって適用するという相互主義を主張し, これも GATT 原則に整合的(無差別最恵国待遇を定めた1条ではなく, FTA を容認した24条)だという. これは考え方のちがいで調整がむずかしい. しかし以下に述べるように, APEC 自由化が EU と歩調をそろえて世界大自由化にリンクした形で行われれば, この問題が実質的に解消することになろう.

APEC は EU や NAFTA と違って, 条約や協定の設計図をもたず, 全メン

バーが合意ができるところから徐々に組織化を進める行き方なので，未確定の部分も多い．とくにAPECがFTAとどう違うかについて混乱している．これは教科書的分類をそのまま現実に当てはめようとするからである．バラッサの分類では地域統合を国境措置の撤廃の順序にしたがって分類し，円滑化や種々の政策協力は共同市場や経済統合の段階ではじめて登場する．しかしすでに見たように現実の経済統合ではこれらは初期の段階から行われる．今日の地域統合は各国内の異なった制度・ルールの世界大の共通化を，まず隣国間で試みる実験室の役割を果たすのである．制度・ルールは内外企業に共通に適用されるから，相互関税引下げと異なって域外国を差別することはない．APECでも大阪行動指針には包括的な円滑化措置が組み込まれており，こちらは始まったばかりだが，ECの単一市場計画と同じ方向を目指している．自由化では自発的取り組みで早急には進めないが，多くのメンバーはそれを非メンバー国にも無差別適用しようとしている．これはFTAとは違う地域統合の概念で，それをOEAと名づけたのである．APECはOEAの方向で進めなければならない．

《世界大の自由化へのリンク》

　APEC方式を有効にする手だては世界大の自由化とリンクさせることであろう．世界大の自由化をEUと協力して進めることもAPECの重要な課題である．APECは当面EUなどよりはるかに緩い統合OEAにとどまるが，その構成メンバーが米国・日本・中国などの経済大国を含み，さらに新興工業国やASEAN等の高度成長国を含むゆえに，EUと並んで世界経済の指導的役割を果たすことになろう．つまりEUとAPECそれぞれの統合化の方向，対域外政策のとり方の相互のかかわり，両グループ間の緊張関係が，WTOを肉づけしていくうえで重要な影響をもつであろう．

　APECは「開かれた地域主義」を体現した貿易自由化を実施してゆくことで，EUの内向き志向を矯正し，開かれた世界経済を実現しなければならない．また農業や繊維産業の自由化はAPECのみで無差別最恵国待遇方式で進めることは困難であろう．EUも農業や繊維で同じ調整困難を抱え，EUのみでの

自由化への抵抗が強い．これら調整困難分野でウルグアイ・ラウンド合意を越えて自由化を進めるには，APEC と EU とが協調して取り組むことが不可欠である．

　EU は15カ国メンバーが協議して，EU として単一の貿易政策を打ち出し，欧州委員会が代表して対外交渉にあたる．APEC はそれと対応して自由化促進に取り組める組織だろうか．APEC にはそのような実績があるのである．ウルグアイ・ラウンド交渉のあいだに APEC メンバーの交渉担当者間で何度か打ち合わせが行われたし，1995年10月の APEC 貿易大臣会合ではウルグアイ・ラウンド協定を比準して，WTO を予定どおり発効させる方法を協議した．WTO 自由化と斉合的な形で APEC 自由化を進めることは大阪行動指針で明示されている．すでに APEC がグループとして世界大の自由化を進めてきた実績があり，現在の APEC の枠内とその延長で十分に果たしうる．中国とチャイニーズ・タイペイの WTO 参加が実現したら，APEC 貿易自由化計画の基礎が定まったことになろう．

　EU と協力して世界大の自由化を進める方向については1996年にバンコックで開かれた第1回アジア欧州首脳会議（ASEM）がある．はじめてのアジア欧州対話の場でアジア10カ国の首脳は EU の15カ国首脳に対して，APEC と同じく EU もウルグアイ・ラウンド自由化の前倒し実施するようよびかけた．それに対して欧州委員会の貿易交渉担当は，EU としても前向きに対応する用意があることを述べ，さらにどの程度の APEC 自由化が出てくるか見守りたいとしている．

　APEC の参加国は今後どのように拡大されるか．ベトナム，カンボジア，ラオス，ペルー，コロンビア等の周辺諸国に加えて，ロシアとインドが参加希望を表明している．「開かれた地域協力だからどの国も入れるべきだ」というのは乱暴な議論だろう．どの地域統合にも「拡大」と「深化」の戦略的選択がある．現在ボゴール宣言と大阪行動指針という大きな「深化」プログラムに取り組んでいるところだから参加国間の協力モードを大きくかえかねない「拡大」は避けるべきだという意見が多いようである．この考えに立てば，上述の周辺国は数年内に加盟を認められよう．はじめのベトナムは1995年に

ASEAN に加盟しており，ラオス，ミャンマーも1997年 7 月加盟した．拡大 ASEAN の方向性からはこれにカンボジアを加えた 4 カ国が APEC にも参加するのはほぼ既定路線といってもよい．

　ただ上記 2 大国の参加を認めるかとなると慎重にならざるをえない．現在進めている自由化・円滑化・開発協力プログラムが大きく修正されざるをえないからである．[8] しかし開かれた地域協力だから非参加国が不利にならないよう最大限の努力をすべきであり，APEC でもすでに非メンバーにも個別のワークプロジェクトへの参加を認めるなどの道を講じている．

8-6　日本の国際的役割

　APEC では自由化や経済協力の議論が中心で，国際政治や安全保障の議題を取り上げていない．しかし APEC の成否がこの地域の国際政治上・安全保障上重要な意味をもっていることはだれも否定しない．首脳会議が毎年くり返される以上，当然国際政治や安全保障問題を取り上げることになろうという予想もある．1992年に始まった ASEAN 地域フォーラム（ARF）が APEC の参加国とほぼ重複しており，徐々に地域集団安全保障枠組みの形を整えつつあるのが示唆的である．経済と政治面を合わせて，APEC は「アジア太平洋の繁栄と平和の枠組み」になりつつある．そして大阪会議の成功で，日本は戦後50年にしてようやくこのコミュニティーの指導的メンバーとして認められたといえよう．

　APEC は日本が参加する唯一の地域経済協力組織であり，APEC は日本のアジア太平洋経済外交の重要な枠組みとなろう．日本は今後も APEC でリーダーシップを発揮していくことが期待される．しかし日本では伝統的なグローバリズムの信奉から，リージョナリズムの APEC を批判する論者もいる．前節で述べたように，APEC の開かれた地域協力はグローバリズムと矛盾することはない．

---

　8)　1997年ヴァンクーバー APEC では，ベトナム，ペルー，ロシアの新規加盟を認めた．

　日本で議論する場合，グローバリズムとリージョナリズムは対立関係にはない．むしろ日本国内に根強く残存する「内向きのナショナリズム」のほうを心配している．日本企業は活発に海外進出したが，外国企業や外国人を日本国内に受け入れるほうではいたって消極的である．法律や行政指導で抑制していた時代もあった．今日ではそれを廃止しつつあるが，なお有形・無形で残存していることは多くの外国エコノミストが指摘している．日本の高地価，高コストのインフラ，各種規制を嫌って，外国企業が入ってこないだけでなく，多くの日本企業が生産拠点を海外に移転した．このような原因による産業空洞化こそ避けなければならない．そして内向き姿勢では日本経済の再活性化はおぼつかない．リージョナリズムの危険を叫ぶより，内向きのナショナリズムの打破を叫びたい．

　オープン・リージョナリズムのAPECに真剣に取り組むことこそ，内向きのナショナリズムを突き崩す道である．理念だけのグローバリズムを捨てて，現実のリージョナリズムを正しく理解する必要がある．そして内向きのナショナリズムこそ克服しなければならない．

【練習問題】

(1)　正誤問題
　　1)　地域経済統合は世界経済全体としても有益であり，奨励されるべきである．
　　2)　WTOを中心とした世界大の自由化のみを推進すべきで，リージョナリズムは阻止すべきである．
　　3)　グローバリゼーションが進むなかで，多国籍企業と国民国家とは利害が対立する．
(2)　WTOはなにを達成し，いまなにに取り組んでいるか．
(3)　APECのオープン・リージョナリズムとはなにか，APEC域外の人に説明せよ．
(4)　APECの協調的自発的自由化方式の長短を論ぜよ．
(5)　経済技術協力はAPECの活動のなかでどのように位置づけられるか．

リーディング・リスト

　本書では国際分業理論や貿易政策の理論的説明は基礎的なものに限定した．第3，4，6章で厳密な理論展開を望む読者のために，より進んだ教科書としてつぎの2点をあげておく．

　［1］　小宮隆太郎・天野明弘『国際経済学』岩波書店，1972年，第Ⅰ，Ⅱ，Ⅳ部
　［2］　伊藤元重・大山道広『国際貿易』岩波書店，1985年
　［3］　Krugman, P. R. and M. Obsfeld, *International Economics : Theory and Policy*, 3rd edition, Addison Wesley, 1994（石井・浦田・竹中・千田・松井訳『国際経済：理論と政策』（第3版）新世社，1996年）

　［1］は理論的にも実証的にもすぐれた教科書であり，［2］は数式の使用を抑えているが，最近の理論展開を含む．［3］は評判の高いアメリカの教科書で政策問題への言及も豊富．

　本書で比較的多くのページをさいた国際投資や技術伝播を中心とする動態的国際分業論（第4，5章）では，理論体系が確立していないが，次のような先駆的文献をあげる．

　［4］　赤松要「わが国産業発展の雁行形態」『一橋論叢』1956年11月
　［5］　小島清『日本貿易と経済発展』国元書房，1958年
　［6］　篠原三代平『日本経済の成長と循環』創文社，1961年

　これらはいずれも日本経済を素材に貿易と経済発展の関連を研究したもので，［4］と［5］は雁行形態論を展開している．同種の試みとして，拙著，

　［7］　山澤逸平『日本の経済発展と国際分業』東洋経済新報社，1984年
　［8］　山澤逸平「産業発展と国際分業——日本の経験とアジア途上国への伝播」篠原三代平編『日本経済のダイナミズム』東洋経済新報社，1991年の第6章

を参考にしていただければ幸いである．他方プロダクト・サイクル論の端緒は

［9］ Vernon, R., "International Investment and International Trade in the Product Cycle," *Quarterly Journal of Economics*, May 1964

である．さらにつぎの2点は伝統的貿易理論を拡充して，動態化を試みたものである．

［10］ Johnson, H. G., *Comparative Cost and Commercial Policy Theory in a Developing World Economy*, Almqvist & Wiksell, 1968

［11］ 稲田献一・関口末夫・庄田安豊『経済発展のメカニズム』創文社，1972年

また

［12］ Gerschenkron, A., *Economic Backwardness in Historical Perspective*, Harvard University Press, 1962

は後発国への工業化の波及に関する先駆的文献であり，

［13］ Helleiner, G. K., *Intra-Firm Trade and the Developing Countries*, Macmillan, 1981（関下稔・中村雅秀訳『多国籍企業と企業内貿易』ミネルヴァ書房，1982年）

は企業内貿易に関するほぼ唯一の研究書である．またサービス貿易については，

［14］ 佐々波楊子・浦田秀次郎『サービス貿易――理論・現状・課題』東洋経済新報社，1990年

が包括的な分析を与えてくれる．

第5章の発展途上国と先進国との経済関係については，つぎの3点が参考になろう．

［15］ 山澤逸平・平田章編『先進諸国の対発展途上国貿易政策』アジア経済研究所，1990年

［16］ 山澤逸平・平田章編『先進諸国の産業調整と発展途上国へのインパクト』アジア経済研究所，1991年

［17］ 山澤逸平・平田章編『日本・アメリカ・ECの開発協力政策』アジア経済研究所，1992年

第6，7章で扱った貿易政策と産業政策の実態についてはつぎの3点に多く含まれている．

［18］ World Bank, *The East Asian Miracle :Economic Growth and Public Policy*, A World Bank Policy Research Report, 1993（白鳥正喜監訳『東アジアの奇跡――経済成長と政府の役割』東洋経済新報社，1994年）

［19］ 小宮隆太郎・奥野正寛・鈴村興太郎編『日本の産業政策』東京大学出版会，

1984年

[20] 関口末夫編『日本の産業調整』日本経済新聞社，1981年

[21] 金森久雄編『貿易と国際収支』日本経済新聞社，1970年

[22] 伊藤元重『ゼミナール　国際経済入門』日本経済新聞社，1989年

[23] 小島清『テキスト応用国際経済学』文眞堂，1992年

第8章は進行中のテーマだが，次の文献が参考になろう．

[24] 高瀬保編著『増補 ガットとウルグアイ・ラウンド』東洋経済新報社，1995年

[25] 山澤逸平・三和総合研究所編『アジア太平洋 2000年のビジョン』東洋経済新報社，1993年

[26] 山澤逸平・鈴木俊郎・安延申編著『APEC入門——開かれた地域協力を目指して』東洋経済新報社，1995年（これにはAPEC/EPG 1994の邦訳と1994年までのAPEC宣言・発表文書の邦訳を含む）

[27] 山澤逸平「APECビジョンの実現に向けて—— APEC賢人会議第3報告の概要」『ESP』10月号，1995年

なおAPECの国際政治・安全保障上の意味づけについては

[28] 菊池努『APEC・アジア太平洋新秩序の模索』日本国際問題研究所，1995年

が詳しい．

　最後に日本経済と貿易・投資の変遷は動態的国際分業論の生きた素材である．以下の諸資料を手がかりに自ら分析を試みてほしい．

[29] 通商産業省編『通商白書』各年版

[30] 経済企画庁編『世界経済白書』各年版

[31] 日本貿易振興会（JETRO）編『海外市場白書　貿易篇』，『海外市場白書　投資篇』各年版

[32] 大蔵省『財政金融統計月報』国際収支特集（毎年6月号），国際経済特集（毎年8月号）

[33] 通商産業省編『わが国企業の海外事業活動』各年版

[34] 通商産業省編『外資系企業の動向』各年版

さらに基礎統計としては，

[35] 日本銀行編『国際収支統計月報』

[36] 大蔵省編『日本外国貿易月表』

[37] 国際連合『統計月報』

　［38］　大蔵省編『外国貿易概況』（月刊）

なお［36］の毎年12月号は年間累計が計上され，年報の役割を果たしている．さらに明治期から現在までの長期の貿易統計については，

　［39］　山澤逸平・山本有造『貿易と国際収支』（長期経済統計14），東洋経済新報
　　　　社，1979年

を参照されたい．

索　引

著 者 紹 介

1937年　東京都に生まれる.
1960年　一橋大学経済学部卒業
現　在　一橋大学経済学部教授
著　書　『貿易と国際収支』(共著, 東洋経済新報社, 1979
　　　　年), 『日本の経済発展と国際分業』(東洋経済新
　　　　報社, 1984年), 『APEC 入門』(共編著, 東洋経
　　　　済新報社, 1995年), その他貿易政策, 太平洋経
　　　　済協力に関する邦文・英文の著書および論文多数.

国際経済学 (第3版)〈スタンダード経済学シリーズ〉

1998年1月22日　発行

著　者　山澤逸平
　　　　　　（やまざわいっぺい）

発行者　浅野純次

〒103-8345
発行所　東京都中央区日本橋本石町1-2-1　東洋経済新報社
　　　　電話 編集03(3246)5661・販売03(3246)5467　振替00130-5-6518
印刷・製本　東洋経済印刷

スタンダード経済学シリーズ

(＊　未刊)

――――東洋経済新報社――